# RECEBA MAIS SIM E MENOS NÃO

COMO
ACOLHER O CLIENTE,
VENDER MAIS E
ATINGIR METAS

Dados Internacionais de Catalogação na Publicação (CIP)
(Jeane Passos de Souza – CRB 8ª/6189)

Gorayeb, Mohamed
Receba mais sim e menos não: como acolher o cliente, vender mais e atingir meta / Mohamed Gorayeb. – São Paulo: Editora Senac São Paulo, 2016.

ISBN 978-85-396-1038-9

1. Administração – vendas  2. Atendimento ao cliente  3. Satisfação do cliente  I. Título.

16-366s

CDD-658.81
658.812
BISAC BUS058010
BUS018000

Índice para catálogo sistemático:
1. Administração – Vendas    658.81
2. Atendimento ao cliente    658.812

MOHAMED GORAYEB

# RECEBA MAIS SIM E MENOS NÃO

COMO
ACOLHER O CLIENTE,
VENDER MAIS E
ATINGIR METAS

EDITORA SENAC SÃO PAULO – SÃO PAULO – 2016

ADMINISTRAÇÃO REGIONAL DO SENAC NO ESTADO DE SÃO PAULO
*Presidente do Conselho Regional*: Abram Szajman
*Diretor do Departamento Regional*: Luiz Francisco de A. Salgado
*Superintendente Universitário e de Desenvolvimento*: Luiz Carlos Dourado

EDITORA SENAC SÃO PAULO
*Conselho Editorial*: Luiz Francisco de A. Salgado
Luiz Carlos Dourado
Darcio Sayad Maia
Lucila Mara Sbrana Sciotti
Jeane Passos de Souza

*Gerente/Publisher*: Jeane Passos de Souza (jpassos@sp.senac.br)
*Coordenação Editorial/Prospecção*: Luís Américo Tousi Botelho (luis.tbotelho@sp.senac.br)
Márcia Cavalheiro Rodrigues de Almeida (mcavalhe@sp.senac.br)
*Administrativo*: João Almeida Santos (joao.santos@sp.senac.br)
*Comercial*: Marcos Telmo da Costa (mtcosta@sp.senac.br)

*Edição e Preparação de Texto*: Vanessa Rodrigues
*Revisão de Texto*: Carolina Hidalgo Castelani, Gabriela L. Adami (coord.)
*Projeto Gráfico, Capa e Editoração Eletrônica*: Antonio Carlos De Angelis
*Ilustração da Capa*: Treety ©iStock
*Impressão e Acabamento*: Gráfica CS Eireli

Proibida a reprodução sem autorização expressa.
Todos os direitos reservados à
*Editora Senac São Paulo*
Rua 24 de Maio, 208 – 3º andar – Centro – CEP 01041-000
Caixa Postal 1120 – CEP 01032-970 – São Paulo – SP
Tel. (11) 2187-4450 – Fax (11) 2187-4486
E-mail: editora@sp.senac.br
Home page: http://www.editorasenacsp.com.br

© Editora Senac São Paulo, 2016

# SUMÁRIO

Nota do editor, 9
Prefácio – *Beatriz Dias*, 11
Agradecimentos, 15
Apresentação, 17
Introdução, 21

**PENSAR COMO O CLIENTE, 25**
A importância do contato com o cliente, 27

**AS HABILIDADES DE VENDA, 29**
A 1ª habilidade do vendedor é sua característica sociável, 31
A 2ª habilidade do vendedor é o conhecimento sobre o produto ou serviço, 33
A 3ª habilidade do vendedor é o domínio das técnicas de vendas, 35

**AS ETAPAS DA VENDA, 37**
Abertura, a 1ª etapa da venda, 39
Sondagem, a 2ª etapa da venda, 45
Demonstração, a 3ª etapa da venda, 49
Fechamento, a 4ª etapa da venda, 55
Pós-venda, a 5ª etapa da venda, 59

**TÉCNICAS – PARTE 1: "PERSONALIDADE AGRADÁVEL", 61**
Aguardar o cliente entrar (ou "Não espante seu cliente"), 63
Pessoas compram de quem?, 64
Dirigir o foco para o cliente enquanto estiver atendendo, 66
Cumprimentar os clientes quando passar ao lado, 67
Cliente que pronuncia o nome do produto ou serviço errado, 68
A linguagem da venda, 70
Pronomes de tratamento, 71
Nomes de duplo gênero, 72
Como abordar os passantes, 73

Espaço entre o cliente e você, 76
Não sair gritando pela loja, 77
Importância do semblante no atendimento, 78
Voz, 80
Olhar, 82
Fisionomia, 84
Gesticulação, 86
Empolgação, 87
Agilidade, 88
Empatia, 90
Convicção/segurança, 91
Movimento, 92
Postura, 93
Jamais cruzar os braços, 95
Não ficar de costas para a entrada, 96
Aparência, 97
Término do atendimento, 98

## TÉCNICAS – PARTE 2: "SERVIR", 99

Faltando pouco para fechar a loja, 101
Não julgar os clientes, 103
Nenhum cliente é perdido (ou "Faça acontecer"), 105
Como atender vários clientes ao mesmo tempo, 107
Palavras antes de começar a apresentar o produto ou serviço, 109
Cliente que chega com o dinheiro contado, 111
Cliente que vem só para ver o preço do produto que ganhou, 112
Pessoas que vêm acompanhadas só para contar às outras sobre os produtos que já têm, 113
Cliente que está olhando para pedir de aniversário, 115
Expressão facial quando a pessoa diz, no fim, que não comprará nada ou que esqueceu o cartão, 117

## TÉCNICAS – PARTE 3: "CONFIANÇA", 119

Ética nos atendimentos, 121
Não ser mais um vendedor indesejável, 123
Não pensar apenas na venda, 125
Ouvir o cliente, 126
Pensar antes de apresentar um produto ou serviço, 127
Não gostar de um produto ou serviço para ganhar confiança, 128
Quando o cliente disser que não gostou, 129
Como agir e falar sobre os produtos e serviços da concorrência, 130

Cliente que quer ficar só, 132
Cliente inibido, 134
Cliente com raciocínio lento, 135
Cliente desconfiado, 136
Cliente mal-humorado, 137
Cliente brincalhão, 138
Cliente *expert*, 139
Cliente esnobe, 140
Cliente que só se interessa pelo preço, 141

TÉCNICAS – PARTE 4: "CONHECIMENTO", 143

Você conhece bem a empresa em que trabalha?, 145
Missão, visão e valores, 146
Conhecimento do mercado e dos produtos, 147
Quanto vale o que está vendendo?, 149
Falar sobre as características do cliente, 150
Como apresentar um produto ou serviço, 151
Trabalhar cada produto ou serviço, 154
Ensinar o cliente, 156
Não levar para o gosto pessoal, 157
"Acho que você vai gostar", 158
Cliente que procura produto ou serviço para presente, 159
Cliente influenciado pelo amigo que critica todos os produtos ou serviços (ou serviços "de que ele não gosta"), 161
Cliente que procura produto ou serviço em falta, 163

TÉCNICAS – PARTE 5: "VENDA", 167

Como pegar e manusear o produto para agregar valor, 169
Oferecer os produtos do maior para o menor, 170
Como falar os preços, 172
Como informar os descontos e as formas de pagamento, 174
Técnica da calculadora, 176
Como vender mais usando material promocional, 177
Evitar perguntas negativas, 179
Não usar palavras que terminam com "ria", 180
Visão 360°, 181
Cliente indeciso entre alguns produtos ou serviços, 182
Vender vários produtos e serviços para um só cliente, 184
Presente após a compra, 186
Cliente que já entra sabendo o produto ou serviço que quer, 187
Como vender um produto encalhado, 189

Como vender cartão de crédito, 191
Esposa critica todos os produtos de que o marido gosta e vice-versa, 193
Cliente que ao final do atendimento diz que vai dar uma volta porque não sabe se compra uma camisa, uma calça ou um sapato para presentear, em vez do produto que você apresentou, 194
Como fazer o fechamento, 196

## TÉCNICAS – PARTE 6: "DESENVOLVIMENTO", 199

Preparar-se antes de chegar ao trabalho, 201
Parar de reclamar: suas reclamações prejudicam você, 203
Desenvolver-se sozinho, no dia a dia, com maior rapidez, 205
Como dar e receber *feedbacks* e obter crescimento individual, 207
Cadastro, 208
Como multiplicar seus clientes, 210

## OS "CAUSOS" DO SEU ZÉ DAS VENDAS, 213

Aproveitando a oportunidade para faturar, 215
As seis namoradas do cliente, 216
Atropelado pelo vendedor concorrente, 217
Efeito placebo: quando a emoção da venda faz mais milagre que o produto, 219
A cliente indecisa e os quinze produtos, 220
Não menosprezar o cliente: a grande lição, 223

## DIFERENÇAS PÓS-TREINAMENTO, 225

Acabando com o estoque, 230
Quebrando barreiras, 231
Destacando-se da concorrência, 232
Vendedora atenta, 233
Vendedora "turbinada", 234
Vendas dobradas, 235
Resultados que revertem demissões, 236
Prêmio, 237
Dobrando o boleto, 238
Nova abordagem, novas vendas, novos resultados, 239

## PARA CONCLUIR, 241

## NOTA DO EDITOR

As mudanças na atividade comercial nos últimos anos consolidaram a necessidade de um novo perfil de vendedor. Este se tornou um consultor, um especialista, uma extensão da loja e da marca às quais está ligado; e tem de atender um cliente que com facilidade – às vezes, por meio de um simples toque na tela do celular – obtém informações sobre o que deseja comprar e sobre os estabelecimentos comerciais e os profissionais que ali trabalham.

O vendedor lida com um consumidor mais exigente, que frequentemente está com pressa e tem à disposição uma imensa variedade de produtos e serviços. Este consumidor rapidamente "descarta" quem não está preparado para atendê-lo, portanto, o profissional que não o conquista nos segundos iniciais de um atendimento perde a venda ou vende menos do que poderia e "carimba" uma má impressão, a qual, em tempos de redes sociais ativas, pode afetar a própria carreira e prejudicar a imagem da loja.

As técnicas de vendas desenvolvidas por Mohamed Gorayeb, embora apresentadas para o vendedor no contexto de sua rotina diária, também impactam positivamente um público para o qual o livro, em tese, não é direcionado – o consumidor –, na medida em que promovem uma ampla melhoria nas relações de consumo e contribuem para sua profissionalização. Além disso, *Receba mais sim e menos não* reflete dois valores do Senac São Paulo – a atitude empreendedora e a busca por excelência –, reafirmando o compromisso e a tradição da instituição com o aprimoramento contínuo de todos os aspectos que envolvem o comércio.

# PREFÁCIO
*Beatriz Dias\**

Atuar no ramo do varejo nos dias de hoje é um desafio! Ser vendedor – ou seja, estar na ponta de toda a cadeia do varejo, em contato direto com o consumidor final – é ainda mais desafiador. Isso porque são esses profissionais que primeiro percebem como o varejo se transforma de maneira rápida e, muitas vezes, até agressiva. Ser um vendedor significa ter a capacidade de se adaptar e de aprender rapidamente!

No varejo há apenas um objetivo final: atingir o cliente! E esse objetivo só é alcançado quando as marcas compreendem como o cliente pensa, sente e toma as suas decisões no ponto de venda.

Ao levarmos essa reflexão para a ótica do vendedor, fica fácil compreender que, se esse profissional não conseguir interpretar o modo como seu cliente raciocina, sente e decide no universo da marca em que ele atua, seu sucesso estará cada vez mais distante.

Quando analisamos a história do varejo e comparamos as formas de consumo de cada década, percebemos que, quarenta anos atrás, o cliente decidia sua compra apenas focando o preço de um produto ou serviço; depois, ele passou a olhar custo *versus* benefício; em seguida, começou a querer ter uma experiência de compra atrativa; e agora, além de todos esses aspectos, ele ainda quer saber no que a marca que ele está

---

\* Beatriz Dias é coordenadora de treinamento e trade marketing do Grupo Boticário.

consumindo acredita, como ela se comporta e qual o grau de relação que ela terá com ele!

Considerando esse cenário atual, é possível perceber quanto poder um vendedor possui em cada atendimento. É ele quem transmitirá, de uma forma mais tangível, todas as informações, experiências e sensações que o cliente busca no ponto de venda. Está na mão do vendedor esse poder!

A partir do momento em que o vendedor se conscientiza disso, fica muito mais claro o potencial de carreira que ele poderá traçar dentro do varejo! Há muitas décadas o Brasil carrega um déficit de profissionais apaixonados e capacitados para essa área. Ainda existe uma lacuna muito grande a ser preenchida por profissionais que visualizem o varejo como uma opção de carreira e um caminho para obter a realização profissional. Em países como os Estados Unidos e o Canadá, o varejo já é visto como uma carreira promissora. Temos agora a oportunidade de construir esse caminho no Brasil!

Como?

O primeiro passo é formarmos profissionais especializados e apaixonados pelo varejo. Para isso, precisamos ter ferramentas como esta obra, na qual o leitor encontrará técnicas de venda e formas de conhecer melhor cada cliente. Essas técnicas foram desenvolvidas por um dos maiores especialistas em varejo, Mohamed Gorayeb. Ele traz, de forma leve e objetiva, todas as ferramentas que um profissional do varejo precisa dominar para construir uma carreira de sucesso.

Portanto, se você sonha em ser um profissional de sucesso dentro do varejo, este livro será o seu primeiro passo.

Boa leitura!

**DEDICADO A DOMI!**

Doou sua vida à caridade, fazendo diferença positiva na vida de milhões de seres, inclusive na minha.

Muita luz, onde quer que você esteja!

AGRADECIMENTOS

Aos meus mestres, que sempre me orientaram a seguir cada passo no caminho da evolução e do aprendizado, e aos tombos que recebi da vida, que me fizeram enxergar o que precisava aprender naquele momento para seguir o meu caminho.

Ao Fabrício de Moura, que foi a primeira pessoa a acreditar em mim profissionalmente, permitindo desenvolver meu trabalho como promotor de vendas, e, alguns anos depois, em outra empresa, deu-me oportunidade e carta branca para desenvolver o meu primeiro treinamento de vendas – o passo inicial para todos os outros até hoje.

Ao Manoel Manta, presidente da Associação dos Distribuidores e Importadores de Perfumes, Cosméticos e Similares (Adipec), que é um de meus maiores incentivadores profissionais, e ao meu parceiro José Luiz de Paula Jr., CEO da JL Paula Junior, que sempre me inspirou com suas criações e ideias visionárias.

Ao meu amado pai, Felix, e à minha amada mãe, Susana, que sempre fizeram de tudo para me dar a melhor educação e o melhor aprendizado, sempre me encorajando a ir atrás dos meus sonhos e jamais desistir.

À minha irmã, Mariam Latiffe, e ao meu sobrinho, Bahij, que sempre estiveram presentes em todos os momentos de minha vida.

À Daniela Ljubtschenko, que foi a maior incentivadora para que eu escrevesse este livro.

Ao jornalista Fábio Silva Gomes, que me ajudou a organizar as ideias para que este livro tomasse forma.

Aos milhares de participantes dos treinamentos e palestras, que me deram a honra de ouvir minhas palavras e conhecimentos, colaborando com minha missão. Cada um deles, em sua própria trajetória de desenvolvimento profissional, me ensina a cada dia.

Às empresas que confiaram a mim suas equipes para treinar.

E a todos que direta ou indiretamente contribuíram para o meu caminhar, possibilitando que esta obra fosse lançada. São muitos nomes; não conseguiria enumerar todos.

O meu sincero agradecimento e gratidão por fazerem parte dessa jornada.

# APRESENTAÇÃO

Como é bom ter segurança! Conseguir diminuir os medos e aumentar as chances de obter êxito. Olhar para o cliente e perceber quão bem preparado você está. Cada vez mais focado no trabalho, sem mágica, apenas recebendo informações simples e práticas das maiores dúvidas encontradas diariamente em seus atendimentos. É bom saber que estamos adquirindo conhecimento sobre a nossa área, e a contribuição de um livro como este faz a diferença: aumenta o número de pessoas que comprarão o que você estiver oferecendo; aumenta também seu *ticket* médio; ajuda você a atingir sua meta, a ser mais valorizado e bem-visto por todos ao seu redor; proporciona clientes mais satisfeitos; auxilia no crescimento e no desenvolvimento da marca ou da empresa que você representa, e você ganha mais dinheiro para poder ter uma vida mais confortável. É isso que este livro faz.

Deparo-me frequentemente com vendedores que estão há dois, dez, vinte, trinta anos em suas funções e não evoluem. Estão sempre naquele "pensamento hierárquico", naquela concepção antiga. Acham que chefe é chefe, vendedor é vendedor, e que a função deles é apenas fazer todo dia a mesma coisa, e assim a vida segue.

No passado, o cenário do mercado de vendas tinha uma concepção muito diferente da atual. Não havia internet, as informações eram menos acessíveis e o cliente pouco sabia sobre o produto – geralmente só o conhecia se já tivesse comprado antes ou por ter "ouvido falar". Não se divulgavam os direitos do consumidor ou a legislação. O vendedor era pouco especializado, não havia grande preocupação com a concorrência e a venda acabava se resumindo a uma questão de necessidade. As marcas mal tinham departamento de marketing: só havia uma ou outra propaganda. Não se acompanhava o progresso do mercado, o cliente não era tão exigente e os próprios produtos e serviços oferecidos eram pouquíssimos. Com o tempo, tudo mudou.

Hoje, há dezenas, centenas e até milhares de produtos e serviços surgindo em todas as áreas para todas as necessidades, gostos e bolsos. O vendedor se tornou um consultor, um especialista, e as empresas investem em marketing pesado para posicionar bem suas marcas. A lei está em pleno vigor, cuidando para que o cliente não saia lesado e o fornecedor cumpra suas obrigações. Na internet, é possível ver o produto ou serviço, saber sobre ele e até falar instantaneamente com quem já o usou. E nem é preciso computador para isso: basta um toque na tela do celular.

Nós, que somos da área de vendas, sabemos que você está cansado de receber "Não" a todo instante; que você faz de tudo, o possível e o impossível para receber "Sim". Neste livro, você aprenderá exatamente isso. A maior intenção é que você pegue cada técnica apresentada aqui e pratique, para que, dentro de pouco tempo, possa se tornar seu próprio mestre e criar outras técnicas, adaptadas a situações do seu dia a dia.

Em um atendimento, sempre vão surgir perguntas: será que estou sendo chato? Será que se eu disser isso o cliente irá se ofender? Será que estou sendo muito insistente? Será que estou deixando a desejar? Também surgirão situações do tipo: ele me disse tal coisa, e agora? Vendi, estou feliz, mas quero vender mais, será que consigo?

Consegue, sim! Aqui você verá o que pode fazer de igual e também de diferente. As técnicas mostram como realizar cada atendimento, como saber onde você falhou, qual a causa de o cliente não ter comprado algo. Assim, você conseguirá avaliar o seu talento, eliminar vícios e enxergar vendas de outra forma.

Este é um livro para ter como guia e livro de cabeceira, estando sempre ao seu lado. Quanto mais vezes você o ler, mais ele se incorporará ao seu jeito de trabalhar. Você começará a aplicar as técnicas de forma natural, sem perceber.

Não deixe de ler um dia sequer. Se, em determinado dia, você estiver muito cansado, leia uma página pelo menos, para não perder o hábito. Se você deixar de ler um dia, depois outro, e mais outro, perderá a empolgação e ficará estagnado. É a mesma coisa de você se matricular em uma academia e logo achar que vai ganhar massa muscular ou emagrecer, ter saúde e sair de lá com perfeição. Então você conta para todo mundo que entrou na academia, vai um dia, vai dois, três, e não vai mais. Aí passa um mês, um ano, e você não evoluiu. Por quê? Porque deixou de querer.

Leia. Tendo dúvidas em algo, volte a ler, retorne, vá direto àquele capítulo ou àquela técnica, imagine-se aplicando-a. Quando, em seu trabalho, deparar com alguma situação que foi contada neste livro, procure a parte correspondente e avalie. Será um treinamento diário; você praticará no próprio cotidiano o que for aprendendo.

Para ajudá-lo nesta atividade, eu, Mohamed Gorayeb, coloco-me à disposição pelo *e-mail* mohamed@mohamedgorayeb.com.br, ou pelo facebook: https://www.facebook.com/palestrantemohamed. A participação digital é importante. Converse comigo, tire suas dúvidas, diga o que achou, conte se aplicou determinado método.

Você pode fazer uso das técnicas não só profissional como também pessoalmente, pois passamos a vida toda vendendo alguma coisa. Quando você chorou pela primeira vez, ao nascer, estava vendendo ao médico a informação de que estava vivo para que ele parasse de lhe dar palmadas. Quando você deseja sair e quer companhia, também está vendendo. Quando conseguiu seu emprego atual, foi sua imagem que você vendeu no processo de seleção.

Todas as técnicas que estão contidas neste livro não foram retiradas de outras cartilhas nem copiadas. São situações que fazem parte do dia a dia dos vendedores. Houve um dedicado estudo em cima de cada caso, quase um laboratório, para que a obra ficasse completa. Não importa o tipo de público – classe AA, A, B, C, D ou E –, sempre será possível filtrar os conhecimentos e obter o que de melhor o cliente puder fazer por você.

A profissão de vendas é a melhor profissão do mundo para ganhar dinheiro. Você faz o seu salário sem limites. A principal marca é você. As pessoas compram pelo que você diz, pela maneira como se porta e pelo jeito como conduz o atendimento. É hora de pensar no futuro e de ganhar dinheiro, sentindo-se bem e fazendo pessoas se sentirem bem, felizes com o que você tem a dizer e a oferecer.

# INTRODUÇÃO

Ao longo de mais de dez anos atuando como treinador de equipes de vendas, trabalhei com vendedores e atendentes de diversas regiões do Brasil. Também atuei como cliente oculto durante as visitas a diversos estabelecimentos comerciais. Fui abordado nas ruas por pessoas que queriam falar algo. Todas essas vivências buscaram entender suas maiores necessidades durante os atendimentos. Observando os atendentes recepcionando outras pessoas, pude perceber que os vendedores estão carentes de informações sobre como proceder em cada situação. É nítida a cara de frustração e desânimo de alguns deles quando recebem um "Não". São profissionais que chegam com tanta força de vontade para trabalhar de manhã, chegam a dizer "Vou arrebentar", fazem tudo da maneira que julgam correta, e o resultado não é satisfatório. Outros realmente conseguem manter uma positividade; dá certo uma vez, duas, três vezes, e depois vem o "Não", que desanda tudo. Muitos vendedores não estão preparados para receber uma resposta negativa e desconhecem maneiras de reverter isso.

O desânimo e o desapontamento se tornam ainda maiores quando os vendedores são jogados no mercado de trabalho de qualquer forma. Fazem a entrevista e no dia seguinte já começam. Mal têm tempo para se preparar e ter o mínimo de informação para que possam trabalhar. Outras vezes, quando passam por algum tipo de treinamento, são mal preparados: recebem informações que não fazem parte da realidade que vão enfrentar no dia a dia e ficam perdidos. As cobranças vêm de todos os lados e de si mesmo. Você se olha e se pergunta: o que mais eu poderia fazer? Como poderia me sair melhor nessa situação? Atendi esse cliente, fiz o melhor que pude e não consegui resultado. O que estou fazendo de errado e não estou enxergando? O que deixei de fazer? O que poderia ter feito para melhorar minha produtividade?

É impressionante como em uma simples abordagem ao cliente, em um início de bate-papo, os vendedores já se perdem e começam a entrar no automático, como se estivessem repetindo uma gravação.

Muitas vezes o profissional começa a ir por um caminho no qual não colherá muitos frutos e, mesmo assim, continua nele, por achar que está fazendo certo.

Ou, ainda, o profissional copia o colega – atitude muito comum quando entramos em uma nova loja ou em um novo ambiente para trabalhar: muitas vezes nós olhamos para o colega do lado para ver a forma de ele agir. Mas será que a maneira como esse colega atende é a ideal?

"Ah, não, Mohamed! Faz cinco, dez, vinte anos que ele trabalha aqui... Acho que ele está correto." Mas não adianta achar. Se você não souber o que está fazendo, nunca saberá se está certo ou errado. Não estudar sobre o trabalho e copiar cegamente as atitudes do outro jamais será o mais indicado.

Vamos supor que ele esteja certo, e então surgem mais dúvidas: será que é a melhor forma? A mais efetiva? Será que esse vendedor está desmotivado por algum motivo e agindo de uma forma inadequada, e você o está copiando?

E por que você copia o colega? Porque precisa partir de algum lugar para conseguir sobreviver em seu trabalho, e a maioria dos vendedores é colocada para trabalhar de qualquer forma, tendo de agir somente com a intuição.

Por exemplo, o vendedor começa o atendimento. Consegue chamar a atenção do cliente e obtém uma abordagem inicial fantástica. No meio do caminho, ele se perde e perde o cliente também. Toda a cadeia que está por trás do produto ou serviço comercializado sofre um grande prejuízo.

Vamos supor que você deixe de vender uma calça jeans. Quem sairá prejudicado? Você, que vai deixar de ganhar a comissão e terá um produto a menos para ajudar na meta; o gerente, que vai deixar de ter uma venda para a meta da loja; e o dono do estabelecimento comercial ou do grupo também será prejudicado. Acha que parou por aí? Não, tem mais! Não são só vocês três que perdem: a empresa que forneceu essa calça para a loja onde você trabalha deixou de ganhar; o representante comercial que vendeu essa calça para a loja deixou de ganhar, o gerente desse representante comercial deixou de ganhar; o dono da empresa fornecedora deixou de ganhar. Fora isso, tem mais gente: o fabricante, o fornecedor da linha, o extrator de algodão, os representantes comerciais de cada um, etc. Veja quanta gente deixou de ganhar!!! Olha o estrago que só a perda de uma venda causou!!! E essa oportunidade de venda perdida não representa apenas uma calça, mas várias outras, além de peças próximas, como cinto(s), camisa(s) e demais produtos que poderiam ser acrescentados.

Sem mencionar os efeitos no cliente, que pode associar uma experiência negativa não somente com o vendedor, mas com a loja, e até com a marca, deixando de frequentar esse e os seus demais estabelecimentos. E a sua responsabilidade? Ela se traduz em calças que deixam de ser produzidas pela redução de demanda. Com menor produção, menos mão de obra será necessária, e empregos serão desfeitos. A fábrica poderá deixar de existir, e não recolherá mais impostos para a cidade, que deixará de ter essa fonte de recurso para realizar suas funções e fazer melhorias para os moradores. O Produto Interno

Bruto (PIB) do país diminui, porque uma empresa que deixa de existir também deixa de produzir e empobrece o Brasil. E você sabe para que serve o PIB? Ele serve para medir a atividade econômica e o nível de riqueza de uma região ou de um país. Quanto mais se produz, mais se consome, investe e vende. E você está contribuindo para que esse ciclo se quebre ao deixar de vender! Já pensou que você pode ter uma porcentagem de responsabilidade nisso?

Nas próximas páginas, conheça então as técnicas e atitudes para receber mais "Sim" e menos "Não"; para persuadir as pessoas, de modo que no fim do dia você volte para casa com a missão cumprida, consciente de que deu o melhor de si.

## PENSAR COMO O CLIENTE

É horrível quando nos deparamos com um local de atendimento ao cliente onde vemos os profissionais que atuam na linha de frente sempre amontoados, sem postura e com o semblante totalmente desmotivado, falando alto sobre suas intimidades com o colega ao lado. Pior ainda quando nos sentimos mal por parecer que estamos incomodando o profissional que nos atende. Sempre existe uma dúvida: vou entrar naquele lugar, mas será que serei bem atendido? Terei a sorte de ser atendido por um profissional que me receba sem julgamentos, com o sorriso aberto, e que realmente se preocupe em me satisfazer como cliente, mesmo que eu não tenha a intenção de comprar? Ele conseguirá me dar a atenção devida sem fazer eu me sentir pressionado? Ele tornará minha visita uma experiência positiva, que me faça sentir importante e exclusivo?

Sempre que for fazer um atendimento, pense como o cliente. Dessa maneira, você nunca esquecerá que a venda muitas vezes é ocasionada pela experiência vivida pelo consumidor, e não pela necessidade.

# A IMPORTÂNCIA DO CONTATO COM O CLIENTE

## MÁQUINA NÃO VENDE EMOÇÕES.

Com o avanço tecnológico, que trouxe terminais de caixas eletrônicos, assistentes virtuais, atendimento eletrônico por gravação e até robôs, às vezes temos a impressão de que logo, logo o homem será substituído pela máquina, tornando-se desnecessário. Sabemos que toda essa parafernália tecnológica nada mais representa que instrumentos a serviço do homem e que, sem o seu comando, não servem para nada! A tecnologia está e sempre estará subordinada ao ser humano.

Na profissão de vendas, por exemplo, a máquina poderia atender os clientes se eles comprassem unicamente o que precisam e não o que desejam ter. Somente o vendedor tem a sensibilidade de interpretar as vontades ocultas do cliente para satisfazer seu desejo de compra.

Você prefere ser atendido pelo homem ou pela máquina? É muito claro que os consumidores preferem as pessoas. O relacionamento interpessoal é intransferível; a comunicação é uma das ferramentas mais antigas do homem. Toda vez que precisamos comprar algo de alguma máquina, não confiamos o suficiente, e ela só nos fornece aquilo que está previamente programada para entregar. E ela é passível de problemas que nos frustram – veja, por exemplo, os caixas eletrônicos e os autoatendimentos dos estacionamentos de shopping.

A máquina também nos "engana". Sabe aquela máquina em que você põe a moeda e sai um "brinde" (entre aspas, já que você paga por ele)? Então, ela também está vendendo e, ao mesmo tempo, tentando enganar. Você não sai plenamente satisfeito dali. Máquinas e vendas não combinam, pois nos trazem uma coleção de frustrações.

A venda é uma transferência de emoções que pode converter clientes potenciais em efetivos compradores. Como nenhuma máquina tem emoções, jamais poderá fazer isso pelo homem. O atendente ou vendedor sempre é a porta de entrada, é o sinal de "Bem-vindo!" de uma empresa.

Já vi clientes ficarem injuriados por chegarem a um determinado local e só haver máquinas para atender. Também já presenciei enormes filas na recarga de bilhetes de ônibus e na compra de ingressos para cinema por só haver uma máquina e a outra estar quebrada. Se houvesse um atendente, ele, com sua inteligência e perspicácia, tornaria o processo mais rápido, de maneira mais confiável e agradável. Só a inteligência humana traz soluções. A máquina apenas cumpre ordens, e o cliente é inovador, é multitarefa. A máquina não o representa.

Portanto, lembre-se de que você – da maneira mais humana possível – atende seres humanos. Atenda da melhor forma que puder e tenha foco na personalização do atendimento. Só você pode desvendar aquilo que seu cliente realmente deseja (com as técnicas apresentadas aqui) e pode efetivamente suprir suas necessidades, proporcionando a satisfação que ele busca.

## AS HABILIDADES DE VENDA

Existem pessoas que têm o dom da comunicação e uma personalidade altamente sociável, qualidades úteis para as vendas.

Porém, para vender, é necessário também dominar as técnicas. Se o vendedor estiver equipado com ambas – habilidades e técnicas –, será um profissional de sucesso.

As técnicas serão apresentadas mais à frente neste livro. Por enquanto, vamos falar das habilidades. Elas proporcionam a arte da venda.

As habilidades mais importantes para um vendedor são:

- característica sociável;
- conhecimento sobre o produto ou serviço;
- domínio das técnicas de vendas.

# A 1ª HABILIDADE DO VENDEDOR É SUA CARACTERÍSTICA SOCIÁVEL

É sabido que quase todo vendedor bem-sucedido é comunicativo, simpático, carismático, etc.

Pessoas assim certamente progredirão com muito mais facilidade do que aquelas que não gostam de lidar com o público, uma vez que vender consiste na comunicação e no relacionamento com as pessoas, a chamada característica sociável.

Muitos acreditam que existem vendedores natos, dotados de características pessoais que, por si só, justificam todo o sucesso em vendas. Não é bem assim.

Para a maioria das pessoas, é possível desenvolver essa habilidade, pois todos nós a possuímos potencialmente, em menor ou maior grau.

Para tanto, é necessário praticar um sorriso e dar atenção às pessoas. Elas retribuem o sorriso, encorajando o diálogo.

Se aprendermos a ouvi-las, encontraremos as palavras para manter o diálogo e dirigi-lo para o objetivo da venda.

QUER SE DESTACAR?
ENTÃO FAÇA SEU CLIENTE SE
SENTIR IMPORTANTE! COMO?
SORRINDO, OUVINDO, ORIENTANDO
E MOSTRANDO-SE INTEGRALMENTE
PRESTATIVO.

# A 2ª HABILIDADE DO VENDEDOR É O CONHECIMENTO SOBRE O PRODUTO OU SERVIÇO

A comunicação com o cliente deve ser utilizada para descobrir sua necessidade de compra.

O conhecimento sobre o produto ou serviço – e, mais especificamente, sobre a marca, os benefícios e as vantagens – aumenta a capacidade do vendedor de convencer o cliente de que o seu produto ou serviço é exatamente o que ele necessita.

Também é importante conhecer os produtos e serviços da concorrência, para poder converter clientes de outras empresas.

Quando você está na loja apresentando um produto ou serviço, deve ser o efetivo garoto-propaganda dele. Ao ver um comercial na TV, quais são os fatores que chamam a atenção? Você repara no que é dito, na forma como é apresentado, no que aquele produto tem de diferente dos demais, na simpatia de quem apresenta. É a mesma sensação que o vendedor deve passar. A alma da venda está no convencimento, e um produto ou serviço só convence se for bom – e ele só será bom se o vendedor souber dizer, nos mínimos detalhes, todos os benefícios que oferece.

**VOCÊ CONHECE OS 375 PRODUTOS COM OS QUAIS TRABALHA? ALCANCE ESSA MARCA EM APENAS TRÊS MESES, DEDICANDO ALGUNS MINUTOS PARA ESTUDAR APENAS 5 PRODUTOS POR DIA.**

# A 3ª HABILIDADE DO VENDEDOR É O DOMÍNIO DAS TÉCNICAS DE VENDAS

Vamos considerar duas pessoas que tenham características sociáveis: uma com o domínio das técnicas de vendas e outra sem o conhecimento delas. Por saber como tratar o produto e o cliente, conhecer as características de ambos e ter todo o traquejo para conduzir desde a abordagem até o fechamento, com certeza aquele que detém as técnicas irá se sobressair.

Em vendas, existe tanto a arte de vender (as habilidades) como a ciência para vender (as técnicas). A habilidade consiste em saber utilizar as técnicas, conhecimento que você adquirirá aplicando os ensinamentos deste livro em seu dia a dia.

Muitas pessoas se queixam, afirmando que, embora seus produtos ou serviços sejam bons, eles não vendem. Quando alguém diz isso, a primeira coisa que fala é "Eu não sei vender", como se isso fosse algo impossível ou que o rebaixasse perante aqueles que vendem. Não é assim. Tudo é uma questão de aprimoramento da técnica e identificação da habilidade. Quando estiver lendo este livro, preste bem atenção em cada item. Você verá o quanto isso fará a diferença.

Embora algumas pessoas tenham essas habilidades afloradas – natas ou adquiridas –, todo profissional tem a chance e a oportunidade de aprender e colocar em prática. O bom vendedor jamais ficará sem trabalho: o comércio é uma das atividades mais antigas do mundo e é um grande empregador, que tem substituído, inclusive, a indústria no número de vagas nas grandes cidades. Muitos dos grandes shoppings funcionam em áreas que antes eram fabris, gerando oportunidades de primeiro emprego e oferecendo plano de carreira.

**TUDO É UMA QUESTÃO DO QUE VOCÊ ACREDITA SER. INDEPENDENTEMENTE DE SEU MOMENTO ATUAL, ACREDITE INTERNAMENTE QUE VOCÊ É O QUE GOSTARIA DE SER, E LOGO COLHERÁ OS RESULTADOS!**

# AS ETAPAS DA VENDA

O verdadeiro objetivo do atendimento consiste em realmente satisfazer clientes, e não apenas realizar vendas.

Elas são o resultado da satisfação do cliente. Se ele receber um excelente atendimento, as vendas serão sua consequência direta.

A satisfação do cliente tem a ver com as habilidades do vendedor e também com o domínio de técnicas que permitirão o sucesso da venda.

Para que o vendedor obtenha êxito, é bom que quem compra não venha apenas uma vez; é ótimo que venha muitas vezes e, de preferência, traga mais gente, novos clientes. Se ele estiver satisfeito, ele fará isso. As pessoas sentem prazer ao comprar, por isso o vendedor precisa estar certo de oferecer esse prazer na hora da venda. Para o cliente, é uma realização saber que comprou. Para o vendedor, é uma realização saber que vendeu.

Em uma situação de vendas, existe uma sequência lógica de etapas. Dentro de cada etapa, existem estratégias que devem ser aplicadas.

As etapas são as apresentadas a seguir.

1. Abertura.
2. Sondagem.
3. Demonstração.
4. Fechamento.
5. Pós-venda.

As estratégias de cada uma dessas etapas serão explicadas nas próximas páginas.

# ABERTURA, A 1ª ETAPA DA VENDA

Na maioria das vezes em que um cliente entra na loja, antes mesmo de o vendedor abrir a boca, ele vai logo dizendo: "Estou só olhando". Parece que os clientes reagem negativamente aos vendedores ou tentam evitá-los.

Essa reação negativa se deve principalmente a experiências como:

- o vendedor comercializou um produto ou serviço que o cliente não queria;
- o vendedor comercializou um produto ou serviço errado;
- o vendedor era muito insistente;
- o vendedor não sabia nada sobre o produto ou serviço;
- o vendedor só queria vender seu produto ou serviço.

A abertura tem como objetivo vencer a resistência do cliente e, ao mesmo tempo, desenvolver um relacionamento pessoal (em vez de puramente comercial). Isso quer dizer que, geralmente, os clientes já estão resistentes antes mesmo do primeiro contato com o vendedor ou se tornam resistentes de acordo com a abordagem.

O relacionamento mais pessoal é possível quando o vendedor não faz um atendimento mecânico, e sim com emoção, leveza e bate-papo extra, com uma conversa informal e descontraída. O cliente se identificará mais com um atendente que olha nos olhos e que se mostra, de fato, humano e atencioso com ele.

Todas as pessoas tiveram pelo menos uma experiência frustrante ao comprar alguma coisa. E o ser humano tende, por essência, a guardar como lição aquilo que lhe foi negativo. É por isso que a postura dele sempre é a de defesa: se ele não for convencido do contrário, vai achar todos os vendedores chatos e invasivos. A frase "Estou só olhando" é um sinal de alerta, um sinal amarelo, algo que muitas vezes pode ser traduzido como "Não chegue perto de mim". O vendedor bem orientado saberá quais técnicas usar e como proceder para amenizar essa postura defensiva.

**PARA FACILITAR A ABERTURA, O VENDEDOR PRECISA:**
- **CUIDAR DA APARÊNCIA;**
- **ADOTAR A POSTURA CORRETA;**
- **TER A ATITUDE ADEQUADA AO SORRIR, CUMPRIMENTAR E AGIR.**

**ESSAS SÃO AS ESTRATÉGIAS DA ABERTURA, A 1ª ETAPA DA VENDA.**

CUIDAR DA APARÊNCIA

O vendedor deve causar uma boa primeira impressão, vestindo-se adequadamente para o ambiente de trabalho no qual está inserido, mostrando disposição e sendo receptivo.

Você já pensou em ser atendido em uma loja bem bonita e atraente por um vendedor sujo? Mal-encarado? Ou entrar em uma joalheria e deparar-se com um vendedor de chinelos, unhas compridas, cabelo despenteado? Ele será ignorado e talvez nem seja visto como profissional daquela loja. Nós não devemos julgar, mas lidamos com isso a todo momento. É sempre bom garantir a melhor impressão, porque se nós fôssemos os atendidos, certamente preferiríamos assim.

Quem vende precisa ter a "cara" do que está vendendo. Eu cito alguns exemplos a seguir, mas no comércio não cabe generalização. Às vezes, espera-se em uma loja que o vendedor esteja usando aquilo que ele vende. Nas lojas de uma famosa marca de sandálias de dedo, os vendedores trabalham calçados assim. Nas de uma outra marca, especializada em roupas íntimas, as vendedoras trabalham de pijamas. Mas não é necessário levar ao pé da letra, senão ia ser complicado trabalhar em uma casa de adubos ou em um *pet shop*. Porém tenha na cabeça o seguinte: você precisa ser a "cara" do seu estabelecimento/do que ele vende, independentemente de a característica que o faz assim ser mais sutil ou mais perceptível.

**TODAS AS INFORMAÇÕES QUE TRANSMITIR – TANTO VERBAIS QUANTO CORPORAIS – GANHARÃO FORÇA E CREDIBILIDADE SE VOCÊ ESTIVER VESTIDO ADEQUADAMENTE PARA A OCASIÃO.**

### ADOTAR A POSTURA CORRETA

A postura que você deve mostrar deverá ser traduzida pelo cliente como um grande e caloroso "Seja bem-vindo". Tudo o que o vendedor não pode fazer é destoar disso, e ações que demonstrem indisposição no atendimento serão notadas na hora. Naquele momento, você está ali para servir e não sabe o tipo de cliente que o aguarda. Então, mantenha o padrão, mostrando disponibilidade e boa vontade para realizar e dar assistência ao próximo freguês.

Braços cruzados demonstram que você está fechado a receber. Mãos nos bolsos também estão proibidas, pois passam a mensagem de que você não quer fazer nada. Outro erro é ficar debruçado sobre o balcão. Essa postura "fala" que você está desocupado e não está nem aí com nada. Outro "crime" é ficar em grupinhos. Grupinhos se fecham em rodas e não permitem a aproximação de clientes.

**MANTENHA-SE EM PÉ, COM OS BRAÇOS SOLTOS À FRENTE DO CORPO OU PARA TRÁS. NUNCA, JAMAIS, FIQUE COM OS BRAÇOS CRUZADOS, COM AS MÃOS NOS BOLSOS, DEBRUÇADO NO BALCÃO OU CONVERSANDO EM GRUPINHOS.**

TER A ATITUDE ADEQUADA AO SORRIR, CUMPRIMENTAR E AGIR

Sorria e cumprimente da forma mais natural possível. Inicie um pequeno bate-papo sem compromisso, sem relação direta com a venda. Um dos exemplos mais simples, funcionais e básicos é falar sobre o tempo.

Veja o exemplo a seguir:

VENDEDOR: "QUE CALOR HOJE, NÉ?".

CLIENTE: "É! HOJE ESTÁ DEMAIS!".

VENDEDOR: "VERDADE! PRINCIPALMENTE NOS PÉS".

CLIENTE: "É MESMO. CONCORDO COM VOCÊ".

VENDEDOR: "SABE O QUE É MUITO BOM?".

E a conversa continua. Perceba que o vendedor é sempre o dono da situação, e o cliente é o maior interessado. O que você precisa fazer é prender seu interlocutor com uma conversa agradável, da qual ele não queira fugir e de forma que não se sinta coagido ou invadido.

Pense na cena horrível: você se depara com um vendedor com cara de cínico, que sorri um sorriso amarelo e mostra claramente nas feições a mensagem: "Você entrou por quê? Compra logo e se manda daqui!". Ou com aquele vendedor que vê você entrar e finge que você é invisível. Ou ainda, uma cena mais comum, aquele que não desgruda do *smartphone* e nem faz questão de olhar na sua cara para falar se a loja tem ou não o produto Y. Tudo isso são erros de atitude, muito comuns, cometidos dentro de uma loja, pois colocam o cliente em segundo plano, fazendo ele não se sentir bem recebido ali. A compra que deveria ser um prazer torna-se uma experiência negativa; o cliente vê que ali não é o lugar dele e procura a próxima porta aberta. É por isso que devemos ser afáveis, simpáticos, carismáticos, e conversar, de fato, com a pessoa que entrou. A mudança de um simples passante para um cliente é mérito e dever do vendedor.

**INICIE UM BATE-PAPO SOLTO, COM NATURALIDADE. UMA CONVERSA AGRADÁVEL NÃO DEIXARÁ O CLIENTE COM A SENSAÇÃO DE ESTAR TENDO SEU ESPAÇO INVADIDO OU SENDO VÍTIMA DO QUE ALGUNS CHAMAM DE "FALSIDADE DE VENDEDOR".**

# SONDAGEM, A 2ª ETAPA DA VENDA

Chamamos de sondagem o ato de dirigir a conversa inicial com o cliente para um diálogo que permita ao vendedor sondar mais sobre a intenção de compra.

## ESTES SÃO OS OBJETIVOS DA SONDAGEM:
- DESCOBRIR A NECESSIDADE DO CLIENTE;
- CONQUISTAR A CONFIANÇA DO CLIENTE.

A sondagem tem dois objetivos: descobrir a necessidade do cliente e conquistar sua confiança.

### DESCOBRIR A NECESSIDADE DO CLIENTE

Aqui você precisa saber mais sobre o que ele deseja e por que deseja determinado produto ou serviço.

Para isso, você precisa reunir as seguintes informações:

- Por que o cliente deseja tal produto ou serviço?
- O que é mais importante para o cliente quando seleciona o produto ou serviço?
- Como, quando e onde o produto ou serviço será usado?
- Que produto ou serviço semelhante ele adquiriu antes?
- A quem se destina o produto ou serviço?

Mas não necessariamente você descobrirá tudo isso perguntando diretamente ao cliente. Muitas vezes você consegue "pescar" essas informações durante o bate-papo com ele.

Durante o atendimento, procure envolver o cliente no diálogo, conduzindo-o a um ambiente/situação em que será criada uma "historinha" do produto ou serviço, a qual mostrará ao cliente a solução. O que ele está buscando, naquele momento, é como se fosse, de fato, uma consultoria.

Muitos vendedores apresentam o produto ou serviço de uma forma fria e mecânica, ou seja, apenas informando alguns desses argumentos:

× "ESSE VENDE BEM";
× "ESTÁ EM PROMOÇÃO";
× "ESSE É BOM";
× "ESTÁ CARO, MAS DÁ PARA DIVIDIR";
× "É LANÇAMENTO".

O cliente não irá informar claramente que espera muito mais do que esse tipo de informações. A resposta dele muitas vezes é simplesmente não fechar negócio, ou querer conhecer uma quantidade maior de produtos para tentar conseguir se convencer de algum ou, simplesmente, agradecer ao vendedor, dando a entender que prefere circular pelo estabelecimento sozinho e que, se precisar, pede ajuda.

**POR QUÊ, O QUÊ, COMO, QUANDO, ONDE, PARA QUEM — ESSAS SÃO PERGUNTAS A SEREM RESPONDIDAS PARA SABER O QUE O CLIENTE PROCURA.**

## CONQUISTAR A CONFIANÇA DO CLIENTE

Passe para o cliente a mensagem de que sua preocupação é satisfazer a necessidade dele e não apenas realizar a venda. E esse processo precisa durar todo o atendimento, desde o momento em que o cliente entra na loja até a saída dele.

Para isso, preste atenção ao que o cliente diz, demonstrando compreensão pelos seus desejos e necessidades. Se ele gosta de cozinhar e reclama que a cozinha está desorganizada, você lhe mostra um organizador para temperos, fala sobre como é ruim não saber onde as coisas estão, etc. Se o cliente quer um sofá novo, tente entender como é a sala dele, qual a cor da decoração, etc., para apresentar os modelos mais adequados. Ele ficará aliviado e pensará: "Eu estou realmente recebendo a ajuda de que precisava".

Quando falo sobre prestar atenção, quero dizer prestar atenção mesmo. O cliente estará alerta e perceberá se o vendedor quiser "enrolá-lo" e falar sobre o que não sabe. Olhe nos olhos do cliente, pergunte se há dúvidas e faça o possível para entender ao máximo sua necessidade. Os vendedores geralmente não ouvem o cliente, e isso faz com que ele fique inseguro, pensando: "Essa pessoa começou a me apresentar coisas sem saber meu gosto, o que procuro, para qual ocasião... Como ela vai poder me ajudar?". A partir daí, o pensamento pode ir para um caminho nada favorável, como: "Então, como terei certeza de que esse vendedor também está do meu lado, para não me deixar entrar em uma fria comprando algo que não serve para o que procuro? Ele não vai me levar para uma 'roubada'?".

**A CONFIANÇA É ADQUIRIDA, ESTABELECIDA E CONSOLIDADA SEGUNDO A SEGUNDO NO ATENDIMENTO, DESDE O MOMENTO EM QUE O CLIENTE É ABORDADO ATÉ A DESPEDIDA.**

Outros fatores que contribuem para conquistar a confiança do cliente são as técnicas apresentadas nos capítulos seguintes do livro.

# DEMONSTRAÇÃO, A 3ª ETAPA DA VENDA

A demonstração é a etapa do processo em que o vendedor mostra ao cliente que é o especialista que ele espera, selando a confiança obtida na sondagem.

## OS OBJETIVOS NA DEMONSTRAÇÃO SÃO:
- **ESTABELECER O VALOR DA MERCADORIA OU DO SERVIÇO PARA O CLIENTE;**
- **CRIAR NO CLIENTE O DESEJO DE TER AQUELA MERCADORIA OU SERVIÇO AGORA!**

Veja a seguir como se deve iniciar a conversa com o cliente.

{
"INICIALMENTE,"

+

"VOU LHE APRESENTAR UM [OU DOIS, OU TRÊS OU QUATRO]"

+

"PRODUTO[S] OU SERVIÇO[S] DENTRO DO ESTILO QUE VOCÊ PROCURA."
}

A partir daí, fica mais fácil atingir os objetivos da demonstração.

## ESTABELECER O VALOR DA MERCADORIA OU DO SERVIÇO PARA O CLIENTE

O valor da mercadoria ou serviço será considerado alto ou baixo dependendo da habilidade do vendedor em estabelecer seu valor agregado, como veremos em "Quanto vale o que está vendendo?" (página 149).

Para isso, você precisa apresentar e demonstrar o produto ou serviço, tornando-o um valioso objeto de desejo.

Quanto mais o cliente se empolgar nessa etapa, mais ele estará convencido de que o valor que está pagando é justo.

**SE FOR PARA O CLIENTE NÃO COMPRAR, QUE SEJA PELO MOTIVO DE NÃO TER CONDIÇÕES NAQUELE MOMENTO, E NÃO POR TER ACHADO O PRODUTO OU SERVIÇO CARO.**

## CRIAR NO CLIENTE O DESEJO DE TER AQUELA MERCADORIA OU SERVIÇO AGORA!

O vendedor deverá estimular o envolvimento do cliente durante a demonstração, para desenvolver nele o compromisso psicológico de adquirir o produto ou serviço.

Para esse objetivo, o vendedor precisa fazer o cliente tocar, experimentar, usar o produto.

Para fazer a demonstração, o ideal é escolher inicialmente dois ou, no máximo, três produtos ou serviços que correspondam às informações obtidas do cliente na etapa da sondagem, e que o cliente perceba que se encaixam perfeitamente em sua necessidade.

O cliente, feliz por ter recebido um bom atendimento ou por ter tido sua necessidade atendida, também ficará satisfeito por ter escolhido aquele item, com a convicção de que acertou na compra.

Se o vendedor tiver explicado como usar o produto ou serviço (o que é sempre bom fazer, para que o cliente tenha certeza de que está levando o que procura), ele irá embora com a demonstração em mente e um sorriso no rosto.

Um fator muito importante é a expectativa. O cliente, quando decide entrar em uma loja, tem uma intenção, um objetivo, uma expectativa de como vai ser a compra, de como será ter aquele produto ou serviço e poder usá-lo, do que mudará na vida dele, de como será a reação dos outros quando o virem com aquele produto, etc. Essa expectativa é o combustível para o desejo de realizar a compra! Ela deve ser identificada na sondagem e estimulada com as técnicas que serão apresentadas nos capítulos seguintes.

**A PARTIR DO MOMENTO EM QUE O CLIENTE ESTÁ ALI, NA SUA FRENTE, ANSIOSO COM ALGO QUE VOCÊ POSSA OFERECER A ELE, USE A TÉCNICA "COMO APRESENTAR UM PRODUTO OU SERVIÇO" (PÁGINA 151), DEIXE-O SEGURAR O PRODUTO, FAMILIARIZAR-SE COM ELE, E TRABALHE ESSA ABORDAGEM PARA AUMENTAR O DESEJO DE COMPRA.**

PROBLEMAS

Se, após a demonstração, o cliente disser: "Vou pensar melhor", "Vou voltar mais tarde", "Vou procurar um pouco mais", isso significa que ele não está seguro de fechar a compra. Para derrubar esse tipo de objeção, tente fazer o cliente explicar o que não o convenceu, ou seja, fazer a sua oposição. As objeções normalmente acontecem quando:

× o cliente é inseguro por natureza e não consegue se decidir;
× o preço está acima do orçamento do cliente;
× o valor agregado não convenceu o cliente.

Se o vendedor notar que a insegurança é uma característica da personalidade do cliente, deverá dizer que compreende a situação e que está absolutamente seguro de que ele está levando exatamente o que procura. Nessa hora, é importante repetir o que o cliente disse durante a sondagem. Isso demonstra que você realmente prestou atenção nas palavras dele.

Se o profissional conseguir estabelecer com o cliente uma relação de confiança, cessarão as dúvidas em relação à sua capacidade de indicar algo de fato bom e útil – e de não estar colocando o cliente "numa fria". O vendedor precisa fazer o produto ou serviço realmente se encaixar em suas necessidades. Esse é o caminho para fidelizar o cliente e fazer com que ele traga novos clientes.

Quando o problema é o preço estar acima do orçamento do cliente, é preciso colocar a sensibilidade para funcionar. O vendedor precisa saber traduzir o sentimento do cliente. Na hora em que disser o preço, deve estar atento à fisionomia dele, que se modifica indicando que até gostaria de fazer a compra, mas que está fora do seu alcance. O cliente demonstra frustração por querer e não poder. Isso pode ser facilmente visto pelo comportamento de querer se retirar rapidamente ou dizer que está fora do que pode pagar.

Mesmo assim, você deve avaliar se o momento pede que seja apresentado um outro produto ou serviço mais em conta, por realmente o cliente não ter condições, ou se o caminho é agregar mais valor ao que está sendo oferecido e convencê-lo de que o produto ou serviço vale muito mais do que está sendo cobrado. Se ainda assim o cliente demonstrar que o pagamento não pode ser realizado, cabe ao vendedor dizer que o compreende e que mostrará uma opção com a mesma qualidade e mais adequada ao seu orçamento.

Sempre há produtos ou serviços que o cliente pode pagar. Quando falamos que X opção é mais adequada ao bolso do comprador, não quer dizer, necessariamente, que tenha o valor mais baixo. É possível verificar condições de pagamento, formas de parcelar. Importante: não desvalorize o produto ou serviço; apenas procure um jeito de o consumidor poder pagar por ele, de forma que fique bom para ambas as partes.

Quando o obstáculo é um valor agregado que não convence o cliente, isso fica claro pela reação dele ao ouvir o preço. Nesses casos, ele costuma dizer: "Nossa, que caro", "Por que custa isso?" ou, ainda, "Ah, não sei, estou em dúvida".

O vendedor deve dizer que compreende o cliente e que explicará melhor suas qualidades diferenciais para convencê-lo de que o preço do produto é justo (qualidade, quantidade, embalagem, tradição).

É uma etapa difícil, mas o profissional não pode dar a venda como perdida. Se houver alguma vantagem adicional na manga (desconto, brinde, condição de pagamento), é neste momento que ela deve ser apresentada, para que o cliente não ache que você está "empurrando" o artigo. Tente mostrar quão bom será se ele usar o produto, com base na sondagem feita no início do atendimento.

**MOSTRE AO CLIENTE INSEGURO QUE AQUELE PRODUTO OU SERVIÇO É O QUE ELE PROCURA. PARA AS SITUAÇÕES DE PREÇO ALÉM DO ORÇAMENTO DO CLIENTE, APRESENTE ALTERNATIVAS DE PRODUTO OU SERVIÇO E DE CONDIÇÕES DE PAGAMENTO. PARA OS CLIENTES QUE NÃO ESTÃO CONVENCIDOS DE QUE O PRODUTO OU SERVIÇO VALE O QUE CUSTA, EXPLIQUE OS DIFERENCIAIS DAQUELA AQUISIÇÃO PARA ELE.**

# FECHAMENTO, A 4ª ETAPA DA VENDA

Se o vendedor tiver feito uma boa abertura, uma boa sondagem e uma boa demonstração, o cliente estará, mais do que nunca, aberto à compra.

No entanto, a maioria dos vendedores não se sente encorajada a fechar a venda, temendo que o cliente ainda não esteja pronto e desista da compra.

Minha experiência no dia a dia mostra que:

× somente em 20% dos casos o cliente diz por conta própria que vai comprar o produto ou serviço. Ou seja, o cliente fica tão envolvido pelo que lhe é apresentado e pela habilidade do vendedor que ele mesmo toma a decisão de fechar negócio, antes que o vendedor use ferramentas de fechamento;

× em apenas 20% dos casos o vendedor tenta fechar a venda. São os vendedores mais seguros e proativos, que se arriscam mais;

× em 60% dos casos, nem o cliente nem o vendedor tentam fechar a venda. Os vendedores executam o atendimento, mas acabam não o direcionando para o fechamento, seja por falta de orientação de como proceder, seja por medo de uma negativa, seja por não acreditarem que o cliente vai realizar a compra.

Como exemplo, tomo o caso de uma loja que inclusive possui um medidor na entrada, contabilizando o número de pessoas que entram no estabelecimento diariamente. A taxa de conversão (número de pessoas que entram no estabelecimento × quantas dessas pessoas compraram) estava em 8%, ou seja, de cada 100 pessoas que entravam na loja, apenas 8 compravam. A loja tem ótima estrutura, preço competitivo e produtos de alto nível que conquistam os clientes, então esses não eram os motivos da taxa de conversão baixa. A observação do dia a dia mostrou que a baixa taxa de conversão ocorria porque a equipe inteira não tinha fechamento de vendas, embora as vendedoras fossem ótimas e tivessem potencial.

Quanto aos clientes, eles estão de passagem pelo local e, se não tiverem um estímulo qualquer do vendedor para fechar a venda, simplesmente agradecerão e irão embora.

O MELHOR SINAL PARA O VENDEDOR PERCEBER O MOMENTO IDEAL DO FECHAMENTO É A SATISFAÇÃO QUE O CLIENTE DEMONSTRA EM RELAÇÃO AO PRODUTO. ANALISE AS REAÇÕES E AS FALAS DELE. ALÉM DISSO:

- REALIZE O FECHAMENTO DA VENDA EM SUA MENTE, IMAGINANDO TODOS OS ITENS DA CENA, ANTES DE FECHAR REALMENTE;
- FAÇA O CLIENTE ASSIMILAR O MOTIVO MAIS LÓGICO PARA A COMPRA. É COMO SE VOCÊ "IMPLANTASSE" NA MENTE DELE O PORQUÊ DE ELE ESTAR FAZENDO AQUELA ESCOLHA.

## SERÁ BEM MAIS FÁCIL MANTÊ-LO CONVENCIDO ASSIM.

Uma vez que a venda do item principal esteja fechada, é o momento de tentar a venda de itens adicionais.

A tarefa mais importante do vendedor é fechar a venda. A segunda é vender itens e serviços adicionais, portanto, é preciso oferecer sempre, dar sugestões, mostrar e demonstrar até que o cliente finalize e feche a conta.

Esteja sempre seguro com o que diz e pense "para a frente". Não se esqueça de que a insegurança nos faz paralisar ou afundar. Só a segurança e a propriedade no que dizemos nos levam para a frente. Não tenha medo de que o cliente desista do item X, pois, se ele realmente foi convencido por você, esta já é uma etapa finalizada. Você está vendendo uma emoção, acima do produto ou serviço, então tem de demonstrar o mesmo empenho desde o momento da abordagem até a hora de encaminhar seu cliente para fechar o pacote com as compras, que representa tudo o que você vendeu para ele ali, naquele momento (item principal, itens adicionais, brindes, etc.).

### MAIS TÁTICAS DE FECHAMENTO

Se o cliente quiser consultar advogado, esposa, cachorro ou papagaio, procure fechar o cerco. Não o impeça, mas coloque na cabeça dele que, naquele momento, as duas pessoas mais indicadas para ter certeza da venda são o cliente e o vendedor – ou seja, ele e você.

Além disso:

- × evite deixá-lo pensar por longos períodos, pois isso pode levantar dúvidas e prejudicar a venda;

- presuma que o cliente vai comprar e traduza esse pensamento em suas palavras e gestos. Quanto menos negatividade, melhor. Ele precisa ver em seu rosto que você já sabe que ele comprará;
- guarde com você até o fim alguns "argumentos de emergência". Se ele ameaçar desistir, você vai soltando os argumentos aos poucos para fazê-lo voltar ao propósito. Tenha muitos argumentos e jamais os use de uma vez. Saiba dosá-los para garantir o sucesso;
- ao informar o valor da compra, considere sempre algo acima do exato. É sempre bom ter alguma margem para negociar. Quando você joga quantidades ou valores para baixo, você menospreza sua venda e seu cliente.

"VOCÊ GOSTARÁ TANTO QUE LOGO VOLTARÁ PARA COMPRAR MAIS, DE TANTO QUE GOSTOU!"

# PÓS-VENDA, A 5ª ETAPA DA VENDA

O pós-venda tem como objetivo permitir ao vendedor a possibilidade de desenvolver uma clientela pessoal – a famosa carteira de clientes, fiéis não somente ao produto, ao serviço ou à marca, mas também à credibilidade e à confiança que o vendedor alcançou por atender e satisfazer suas necessidades.

Jamais se esqueça de:

- agradecer ao cliente;
- fazer o cadastro;
- convidá-lo a retornar;
- acompanhá-lo até a saída.

O cadastro é a sua maior riqueza, pois ele credencia aquele cliente como um contato seu e estabelece um relacionamento entre vocês, além de que irá ajudá-lo no pós-venda.

Se o produto ou serviço for algo que o cliente use sempre ou que ele possa comprar novamente, procure alguma maneira de mantê-lo atualizado sobre as novidades do mercado e os lançamentos disponíveis para compra. Muitos clientes estão sempre atentos às novidades e, sabendo que chegou algo diferente, certamente vão visitar a loja e levar o que houver de mais moderno em sua linha de produtos ou serviços.

Você será visto como um vendedor dinâmico, não como uma pessoa parada atrás de um balcão. Procure também deixar seu nome, pedir que ele o procure e fale sobre benefícios do que está por vir. Trabalhe para que ele o indique, para que fale aos amigos que foi bem atendido em sua loja e que vale a pena ir comprar o item X com você.

Sobre acompanhar o cliente até a saída, é também uma questão de educação e boas maneiras. Culturalmente, alguns dizem por superstição que é para que a visita volte, mas, se nos atermos aos fatos, quem não se sentirá à vontade para voltar e ser recebido por alguém educado?

Ao acompanhar o cliente, você demonstra que sua atenção estava/está voltada não apenas para a venda como também para ele enquanto pessoa. Caminhe com ele, aproveitando para reforçar os principais pontos ("Toda mulher se sentiria muito especial ganhando um presente assim"; "Sua namorada tem um namorado muito atencioso, ainda mais porque esse produto ou serviço X é assim..."), as vantagens do produto ou serviço, os benefícios e a excelente aquisição que o cliente fez.

Ao chegarem à porta, pare a caminhada, olhe nos olhos do cliente e entregue em mãos a sacola ou o pacote. Diga algo para ser lembrado e finalize com um "Volte sempre!".

Se ver que cabe, dependendo da sondagem e do bate-papo informal que tiver ocorrido, você pode emendar um "Volte depois para escolhermos o presente da sua mãe (ou de alguém especial)". Preste atenção, na conversa, em quem o cliente mencionou, pois geralmente nessas citações estão seus principais laços afetivos.

# NÃO FAÇA APENAS UMA VENDA; CONSTRUA RELACIONAMENTOS E VENDA SEMPRE!

## TÉCNICAS — PARTE 1: "PERSONALIDADE AGRADÁVEL"

As técnicas a seguir podem ser traduzidas como **"ATIVE O DESEJO DO CLIENTE EM QUERER SER ATENDIDO POR VOCÊ"**. Caso contrário, ele fará de tudo para anular sua presença.

Nas próximas páginas, conheça essas técnicas ligadas à maneira como você se apresenta e o impacto que elas têm em suas vendas.

# AGUARDAR O CLIENTE ENTRAR (OU "NÃO ESPANTE SEU CLIENTE")

## NÃO PRECISA LAÇAR O CONSUMIDOR COMO SE FOSSE TOURO BRAVO.

Alguns vendedores parecem lobos famintos à espera de sua presa. O cliente mal pisa no estabelecimento e já é "atacado", em uma demonstração clara de despreparo e desespero. Não cause mal-estar abordando o cliente assim que ele entra na loja, mas também não espere demais. Sinta o momento ideal em cada cliente para abordá-lo.

Andando pelos corredores de centros comerciais, galerias, shoppings e até por ruas de comércio, já me deparei com vendedores que só faltavam puxar o passante pelo braço. Isso não se faz! As reações dos pedestres são as mais adversas, mas todas muito negativas: uns aceleram o passo, outros desviam, outros fecham a cara, outros se assustam. Quando o cliente chegar à porta da loja e der sinal de que vai entrar, fique a postos, mas aguarde com calma. Ele precisa ver que você existe e você precisa ter a firmeza de que ele não vai sair correndo. Quando os dois estiverem amigavelmente próximos dentro do estabelecimento, ou quando ele estiver parado olhando a vitrine com interesse, aborde-o.

# PESSOAS COMPRAM DE QUEM?

## DE MIM, O VENDEDOR!

Geralmente vemos pessoas comprando ideias, serviços ou produtos, e, quando pergunto para quem vendeu se sabe me dizer de quem as pessoas compram, eles me dizem "De vendedores?", "De quem atendeu bem?", "De quem sabe vender?", "De quem é simpático?". Respondo automaticamente que isso também. Mas o que está por trás, e que não enxergamos? Onde está a fonte de tudo isso?

Durante os treinamentos e palestras, peço para que cinco pessoas me cumprimentem apertando minha mão. Na primeira rodada de apertos de mãos, uso uma força muito inferior à do aperto de cada pessoa. Na segunda rodada, uso uma força muito superior à do aperto de cada uma das cinco pessoas. Na terceira rodada, uso a força equivalente à de cada aperto de mão. Depois, pergunto para todos: "Vocês comprariam do primeiro?". Todos respondem que não. Pergunto por quê. A resposta em geral é de que a pessoa não passou confiança, ou era muito frouxa, etc. Pergunto se comprariam da segunda. Todos também respondem que não, e eu pergunto o porquê. "Ah, não... muito grosso", ou "Muito seco", "Veio para cima com tudo...". Ou seja, cada pessoa teve um sentimento negativo em ambos os apertos de mão. Pergunto do terceiro. "Ah, sim, do terceiro sim", todos respondem. "Por que vocês comprariam?" "Ah, porque passou segurança...", "Transmitiu confiança...", "Passou credibilidade", "Era na medida", etc. Aí pergunto se o aperto das cinco pessoas que cumprimentei era igual. Uns olham para os outros e veem que a estrutura física é diferente entre eles, e respondem que não, que os apertos são diferentes uns dos outros. E pergunto "Como consegui vender para cinco pessoas diferentes ao mesmo tempo?". Volto a perguntar: "Pessoas compram de quem?". Em seguida, chamo uma pessoa para apertar minha mão "em câmera lenta", para todos verem que, conforme a outra pessoa pressiona, vou acompanhando os movimentos da mão quando aperta e quando solta.

Isso mostra que pessoas compram de pessoas que se parecem com elas. É claro que a história contada aqui é apenas um exemplo. Ou seja, não é para ficar dando a mão para todas as pessoas que atender para demonstrar que você é semelhante a elas. Você deve, sim, se adaptar a cada uma, para que essa identificação ocorra da forma mais natural possível, a ponto de essa pessoa olhar para você e pensar "Nossa, tem algo nesse vendedor que se parece comigo". Podemos nos tornar parecidos com pessoas de diversas formas: por exemplo, imitando a expressão corporal e os gestos sem que elas percebam, ou pela história de vida, ou por objetivos, *hobbies*, gostos... Sempre com bom senso e discernimento.

DIRIGIR O FOCO PARA O CLIENTE
ENQUANTO ESTIVER ATENDENDO

## LEMBRA QUE A PROFESSORA DAVA BRONCA NA FRENTE DE TODOS, NO MEIO DA SALA DE AULA? VAI ACONTECER ISSO DE NOVO...

Alguns vendedores conversam com os colegas ao mesmo tempo que estão atendendo o cliente. Não tire sua atenção do cliente; fique atento a todas as oportunidades e aos sinais que ele emitir. Além de causar ruídos em seu trabalho e incômodo à pessoa que estiver atendendo por demonstrar que não está preocupado em prestar o melhor serviço, você não conseguirá reter informações suficientes para poder ter argumentos que guiem o atendimento e a venda.

O papel do vendedor, única e exclusivamente, é o de servir pessoas. Conversar é algo que pode ficar para depois. Conversas paralelas nada acrescentam, e, se alguém passar lá fora, olhar para dentro e ver a rodinha, existe a grande chance de que passe direto por pensar algo como "Eles não estão a fim de trabalhar... Vou incomodar se entrar".

Lembra-se da época da escola, quando a professora dava aquela bronca na "turma do fundão", por causa das conversinhas paralelas? Agora as responsabilidades são muito maiores. Perder uma venda e causar uma má impressão no cliente podem ter consequências bem mais sérias em sua carreira.

## CUMPRIMENTAR OS CLIENTES QUANDO PASSAR AO LADO

## SUA SIMPATIA FAZ TODA A DIFERENÇA.

Já percebeu quanto é ruim passar por alguém e a pessoa não notar? Isso também acontece dentro dos estabelecimentos, e muitas vezes não percebemos. Mesmo que uma pessoa esteja sendo atendida por outra, se ela estiver circulando e passar por você, ou você passar por ela, não custa nada cumprimentar com um sorriso franco e seguir seu caminho. (Mas o bom senso de não cumprimentar também existe caso essa pessoa já tenha sido cumprimentada por várias outras, para que ela não se canse de tantos cumprimentos.)

"Ficar na sua" também passa a mensagem de que sua presença é indiferente naquele local. O ser humano é extremamente sociável. É por isso que a cortesia de uma saudação faz toda a diferença. Você se sente feliz ao ser lembrado? É a mesma sensação que a pessoa tem ao ver que você, passando por ela, acenou de bom grado. O cliente sairá da loja ou da empresa pensando "Nossa, como os funcionários daqui são simpáticos! Vou voltar!". Já vi gente dizendo o contrário: que não colocaria mais os pés dentro de determinado estabelecimento porque os vendedores eram secos, mal-humorados, e trabalhavam como se fossem obrigados.

Devemos sempre tratar os demais da forma como gostaríamos de ser tratados. O cliente provavelmente voltará ao ver que, em toda a empresa, existe um clima amistoso e favorável. Portanto, cumprimentar sempre abre portas.

## CLIENTE QUE PRONUNCIA O NOME DO PRODUTO OU SERVIÇO ERRADO

## "ENTÃO, MOÇO! É BOM ESSE NEGÓCIO AÍ, NÉ?"

A obrigação de conhecer os produtos ou serviços e pronunciar os nomes corretamente é única e exclusiva do vendedor. Seu cliente não tem obrigação alguma, pois o profissional dessa área é você.

Jamais corrija diretamente quando ouvir algum nome errado, pois o consumidor ficará constrangido e talvez se feche ou dê uma resposta não muito agradável. No momento em que você ouvir algum nome errado, prossiga atendendo naturalmente e, em outro momento, diga o nome correto quando for falar alguma coisa sobre ele.

Se o cliente perceber e comentar a respeito, deixe-o à vontade, dizendo de uma forma descontraída: "Ah, é normal as pessoas dizerem (pronuncie a palavra da mesma forma dita pelo cliente). O nome tanto faz, o que vale é o que o produto [ou serviço] representa". E já parta para outro assunto.

Em nosso mercado, há um número muito grande de marcas e produtos estrangeiros, com nomes, termos e funções em outros idiomas, como inglês, francês, espanhol e japonês. Nem todos os clientes e vendedores são fluentes em todos os idiomas existentes no globo terrestre. E há sempre inovações tecnológicas que geram novos termos. Lembre-se de que em algum momento aquele nome ou aquela marca já foram desconhecidos por você. A gama é tão vasta que confunde as pessoas, então até nós erramos em determinados nomes.

Nós, enquanto profissionais, devemos zelar pela nossa prestação de serviços e não errar o nome das coisas que vendemos, pois somos representantes e vitrines dessa(s) empresa(s), mas não podemos cobrar isso de quem compra. Vários fatores – inclusive o sotaque do cliente – acabam causando variações na forma como ele fala determinada marca ou produto. O importante é que ele se faça entender.

Há vários casos interessantes em que os clientes modificaram o nome do produto ou da marca. Originalmente, o tão popular Fusca não se chamava assim. Ele foi batizado, na Alemanha, de Volkswagen, que significa "carro do povo". O nome deixou de ser o do carro e se tornou a marca. A pronúncia em alemão é bem próxima de "folks uaguem", e os clientes apelidaram o simpático carrinho de "folks". No Brasil, com o tempo, o carro passou a ser chamado de Fusca.

Existem marcas estrangeiras cuja pronúncia não existe por aqui, e há casos em que o modo de chamar a marca é diferente no país de origem e nos demais. Um exemplo é a marca Nestlé. O acento na segunda letra "e" é herança da origem suíça do nome. No exterior, pronunciam "Néstle". O consumidor brasileiro se habituou a chamar a marca de "Nestlê", com acento no segundo "e", e a companhia optou por adotar essa pronúncia aqui.

Jamais dê risada ou deboche se o seu cliente falar um nome errado. Errar um nome não é condenável, de forma alguma, e isso também não acontece só nas cidades mais afastadas dos grandes centros urbanos – muito pelo contrário. Alguns erros são engraçados, mas segure o riso! Mantenha-se sério para não constranger o cliente, pois ele está sendo o mais natural possível com você. Agir de maneira inadequada nesse momento pode custar uma venda e a sua credibilidade.

# A LINGUAGEM DA VENDA

## "AÍ, MANO! COMPRA ESSE BAGULHO AÍ, BELEZA?"

Algo importante e com que devemos sempre tomar cuidado é a linguagem usada para tratar o cliente. Devemos evitar gírias e palavrões, mantendo sempre a educação e uma forma cordial de usar as palavras. Já se imaginou entrando em uma loja e sendo recebido por um "E aí, mano, firmeza? Compra essa %@& aí, meu!"? É no mínimo bem estranho.

Se o tom de voz conta, as palavras constituem o elemento mais importante para uma boa comunicação. Claro que há diferenças entre tipos de públicos, e com alguns você pode e deve ser mais despojado, mas manter uma postura na hora de falar é sinônimo de respeito. Não precisa rebuscar o idioma de Camões, mas fale as palavras corretamente, em um nível agradável. A conversa será bem mais prazerosa para ambos.

Quando falei sobre linguagem despojada, é mais ou menos assim: o consumidor que entra em uma loja de surf não vai se incomodar se o vendedor cumprimentá-lo com um "Beleza?", porque o público da loja em que atua é mais jovem, assim está acostumado. Se o mesmo acontecer em uma loja tradicional de ternos, poderá não soar tão familiar. O que deve ser eliminado – em qualquer tipo de loja – são as palavras de baixo calão, as ofensas e os termos chulos. Faz parte da educação do vendedor se observar.

# PRONOMES DE TRATAMENTO

## SENHOR, SENHORA, SENHORITA...

Não há uma regra para pronomes de tratamento, mas é sempre mais educado chamar as pessoas com mais idade que você de "senhor" ou "senhora". Se a pessoa se sentir incomodada e disser que prefere ser chamada de "você", sorria e obedeça.

Caso perceba que o cliente, independentemente da idade, tem uma personalidade jovial, não há problemas em perguntar "Posso chamá-la(o) de você?". São raras as vezes em que a pessoa não cede.

Nesse ponto, tome cuidado com a segmentação do estabelecimento. Lojas de itens mais tradicionais ou para pessoas de mais idade sempre colocarão "senhor/senhora" no topo da lista. O público-alvo define mais que qualquer regra, mas é sempre bom ficarmos espertos.

## NOMES DE DUPLO GÊNERO

## "QUERO FALAR COM O SEU... A DONA... O SENHOR... QUERO FALAR COM FULANO!"

Às vezes, consultando o seu cadastro, você se deparará com nomes de pessoas que servem para ambos os gêneros, nomes ambíguos: Darci, Laerte, Adair, Ariel, Filó e outros que já vi para homens e mulheres. Se você fizer um telefonema e não souber se o nome é masculino ou feminino, diga apenas: "Bom dia, sou fulano da empresa X. [TAL NOME] está?". Preste atenção na resposta, porque a pessoa do outro lado pode dizer que ele ou ela não está, e você já tem uma luz para continuar a conversa. Se você errar e, por exemplo, pedir para falar com o "sr. Adair" e na verdade for a "sra. Adair", peça desculpas sem mostrar estar encabulado e continue o assunto.

COMO ABORDAR OS PASSANTES

## "UM MINUTO DE SUA ATENÇÃO..."
## NEM UM, NEM MEIO. JÁ ERA.

Você tem vontade de parar quando é abordado por alguém na rua com a pergunta "Você pode me dar um minutinho de sua atenção?", ou por um panfleteiro que quer entregar algum papel sem cumprimentar você nem olhar em seu rosto? Isso serve também para as situações em que o vendedor sai de seu estabelecimento para entregar alguns anúncios aos passantes que tenham as características do seu público--alvo. Quando abordamos alguém, temos milésimos de segundos para atrair sua atenção, e o anúncio ou o que você quer falar pode até ser interessante, mas foi queimado em sua abordagem.

Em primeiro lugar, o rosto aberto com sorriso, voz clara, olhar amistoso, agilidade e cumprimento também se encaixam ao abordar os passantes, mas tudo isso é aplicado em milésimos de segundos.

Quando a abordagem for para conseguir que o passante pare para escutar, se pedir um minuto da atenção ou algo do gênero você já terá gastado esses milésimos de segundos falando algo que não é do interesse da pessoa. Então, se quiser realmente aumentar as chances de ser ouvido, diga algo que chame a atenção dessa pessoa, a ponto de ela ficar com a pulga atrás da orelha se não parar para ouvir.

Se tiver o costume de abordar esticando o braço até a pessoa, pare imediatamente! Ela se sente invadida, e com isso você causará incômodo.

Se estiver panfletando ou algo do gênero, sempre esteja preparado para dar informações para cada nível de atenção que tiver. Como estará lidando com pessoas em movimento, a grande maioria pegará o que você está entregando e nada mais. Outros pegarão e você terá oportunidade de falar um pouco a respeito.

Portanto, as etapas são as seguintes (vá avançando de etapa conforme a pessoa for lhe dando atenção):

- ETAPA 1: cumprimento com sorriso + agilidade + voz + entrega;
- ETAPA 2: utilizando de uma a três palavras, fale do que se trata. Algo que chame a atenção;
- ETAPA 3: fale das principais características, para que a pessoa tenha vontade de conhecer o produto + sondagem (se possível);
- ETAPA 4: convide para conhecer.

Tudo isso é muito rápido: as quatro etapas duram cerca de dez segundos apenas. Ao fazer a abordagem, incline ligeiramente o corpo quando estender a mão, como que entregando. O ato de inclinar um pouco para a frente faz com que a pessoa se mobilize a pegar o panfleto.

Já vi casos em que os pedestres, ao andarem em uma calçada ou centro comercial, vão desviando daqueles que os abordam. Alguns chegam a atravessar a rua. Em muitos casos, isso se dá por conta do jeito invasivo com que os promotores abordam. O susto afasta as pessoas, que acham que perderão tempo ali e se sentirão incomodadas. Uma abordagem usando as técnicas eliminará, aos poucos, esse medo.

Caso se padronize o atendimento por determinada marca, os transeuntes passarão despreocupados porque sabem que, mesmo se pararem, essa pausa poderá ser um prazer e não um motivo de atraso.

# ESPAÇO ENTRE O CLIENTE E VOCÊ

## DESGRUDE OU VOLTE AQUI.

Você já foi atendido por uma pessoa que fez você se sentir sufocado por ela estar tão perto que era possível sentir sua respiração? E por aquela que conversa tão distante que dá vontade de falar que você não morde? O bom senso de manter uma distância ideal, que não cause a sensação de invasão de espaço nem a de que você vai fugir, é essencial para fazer o cliente se sentir confortável no atendimento.

## NÃO SAIR GRITANDO PELA LOJA

### É O SEU AMBIENTE DE TRABALHO, NÃO UMA PEÇA TEATRAL DE TRAGÉDIA.

Se você precisa falar com seu colega de trabalho que está do outro lado, chegue mais próximo a ele e converse o necessário. Tome muito cuidado para não ficar fazendo perguntas em um tom alto, mesmo que seja algo referente ao seu atendimento naquele momento, ou então ter conversas longas com aquela voz alta que acaba atrapalhando e prejudicando sua imagem e a do estabelecimento.

## IMPORTÂNCIA DO SEMBLANTE NO ATENDIMENTO

## VOCÊ NÃO VAI COM A MINHA CARA?

O semblante é como a energia que nos faz agir em diversas situações.

Como você se sente após passar por uma situação desconfortável? Como lida com esses sentimentos?

Qual o sentimento que você tem quando conversa com uma pessoa que está aparentemente "para baixo"? Dá vontade de ficar ao lado dela? No máximo, você se aproxima para tentar ajudá-la por alguns instantes, mas toma até cuidado para essa energia não contaminar, não é? O que acontece quando você não está bem? Parece que, quando não está em seus melhores dias, acontece uma coisa ruim atrás da outra? Pior ainda é que as pessoas que se aproximam e permanecem são as que também estão com energia totalmente "para baixo".

Como você sabe, ninguém é de ferro, e existem diversas situações no trabalho que contribuem para que você se desestabilize, saia do eixo e fique em uma situação desconfortável. Quando algo negativo acontece, temos a opção de escolher dois caminhos: o primeiro consiste em continuar alimentando o fato, não parar de pensar nele, ficar remoendo dentro de si e dividir ou não com outras pessoas. Todas essas atitudes farão o seu semblante ficar fechado, e assim continuarão a ocorrer fatos que apenas irão prejudicá-lo, além de começar a afetar sua saúde física e mental. Já o segundo caminho é totalmente diferente: após o acontecimento desagradável, sinta os sentimentos de que tiver necessidade sem se expor a outras pessoas. Não alimente isso dentro de você e encerre o assunto. Comece a substituir os sentimentos ruins por bons, ou seja, comece a pensar em coisas que você ama. Seus pensamentos farão você voltar a ter ótimos sentimentos. Com isso, você continuará com um semblante positivo, sendo responsável por ter um dia com muitas surpresas boas.

Não deixe nenhum imprevisto negativo fazer você colocar tudo a perder, como o que já estava acontecendo de positivo.

VOZ

## SE O CLIENTE NÃO ESCUTA O QUE VOCÊ DIZ OU ACHA QUE VOCÊ TEM UM MEGAFONE, ALGUMA COISA ESTÁ ERRADA.

A voz é uma das principais ferramentas que temos para nos comunicar, e adaptamos o volume e a intensidade de acordo com o que queremos transmitir.

Como você se sente quando uma pessoa lhe fala algo com uma voz tão baixa, ou com tanto medo, que você precisa adivinhar o que ela está tentando dizer? Ou o contrário, quando alguém fala num tom tão alto que dá vontade de sair correndo? A combinação de voz baixa com palavras atropeladas pode ser ainda pior. Diante dessas situações, as pessoas ficarão desconfortáveis e criarão uma atmosfera para interromper você e acabar com essa conversa, seja em um atendimento ao cliente, seja em uma reunião com seu chefe.

Qual é o tom de voz ideal para você se comunicar com as pessoas ao seu redor?

Você pode ter uma voz mais forte ou mais fraca, mais grave ou mais aguda. Ela deve ser dosada, independentemente do seu alcance vocal natural, para que a pessoa não fique incomodada; pelo contrário, o cliente deve estar totalmente à vontade ouvindo o que você tem a dizer. Para encontrar o ideal, use um tom de voz que não obrigue a pessoa a forçar os ouvidos para conseguir entender, de tão baixo que você está falando, e que também não faça a pessoa ter vontade de tapar os ouvidos, de tão alto que saem suas palavras.

Se em algum momento você precisar usar um tom de voz ainda mais baixo por algum motivo, faça-o de uma forma que permita ao receptor receber sua mensagem claramente, sem que você precise repetir as palavras. Neste caso, a melhor forma é falar mais lenta e pausadamente, dando tempo para o receptor assimilar cada palavra antes que venha a frase seguinte.

Sempre tenha em mente que sua maior fonte de comunicação é a sua voz. Sem uso apropriado, ela não conseguirá transmitir sua mensagem de uma forma clara, objetiva e sem ruídos.

Não importa se você irá atender um cliente ou conversar com o presidente de sua empresa: seu tom de voz deve ser sempre observado, assim haverá mais clareza e segurança no que diz, e você alcançará seus objetivos no momento, recebendo em troca mais atenção do seu ouvinte e conferindo credibilidade ao que está sendo dito.

## OLHAR

## UM OLHAR VALE MAIS QUE MIL PALAVRAS. E VOCÊ NÃO TEM TEMPO DE DIZER AS MIL PALAVRAS!

O olhar é a tradução do que você está transmitindo a cada segundo.

Enquanto seus olhos estiverem abertos, seu olhar estará expressando algo. O que o seu olhar transmite quando você está conversando?

Já se deparou com uma situação em que a pessoa não olha diretamente para os seus olhos quando está conversando com você, ou fica desviando o olhar? Dá a impressão de que há alguma coisa errada, não é mesmo?

Também é desconfortável a situação em que o olhar não condiz com o que está sendo dito, com aquilo de que estão tentando nos convencer.

Pior ainda é quando estamos falando algo e a pessoa demonstra no olhar que não está nem aí com o que estamos dizendo. Você tenta mudar de assunto, mas mesmo assim se sente desvalorizado diante dessa situação. Essa pessoa não lhe passou credibilidade e poderá fechar as portas para você, por não ter transmitido segurança e vários outros atributos.

Para transmitir segurança, verdade e credibilidade, você deve, desde o cumprimento até a despedida, olhar sempre nos olhos da pessoa com quem estiver conversando, tanto na hora de falar quanto na hora de ouvir, sem ficar desviando o olhar. Sempre que uma palavra sair de sua boca, o significado será simultaneamente acompanhado pelo seu olhar, que transmitirá o sentimento expresso em palavra, demonstrando verdade em tudo o que disser. Lembre-se: mantenha o olhar sempre profissional e amistoso, principalmente se estiver atendendo o sexo oposto, para não causar constrangimentos e desentendimentos.

Com o olhar, somos capazes de cruzar fronteiras, falar sobre quem somos e nos expressar. Use-o a seu favor e ligado ao seu coração, e você conquistará todos ao seu redor.

FISIONOMIA

## SEJA E MOSTRE O QUE VOCÊ É!

A fisionomia é a expressão facial usada para se comunicar com as pessoas.

Qual é a sua fisionomia após uma reclamação, ao recepcionar ou abordar clientes, quando recebe um "Não", quando se apresenta em um determinado lugar, quando chega para trabalhar ou quando vai embora?

O que dá vontade de fazer quando você entra como cliente em um local e é recebido por uma pessoa com o rosto totalmente fechado, ou seja, aparentando estar emburrada ou sem ânimo algum? E quando essa pessoa esboça um sorriso totalmente forçado ou sem expressão nenhuma? Provavelmente seria o último lugar em que você gostaria de estar; ou teria a impressão de estar incomodando aquela pessoa, mesmo sabendo que ela estava lá para recebê-lo da melhor maneira possível.

Pior ainda quando a pessoa expressa uma ótima fisionomia durante toda a conversa, por pensar que conseguirá um "Sim", mas muda o semblante bruscamente, fechando o rosto, quando recebe um "Não". Esse é um dos piores sentimentos, pois, quando a pessoa pensava que conseguiria o que queria, você servia; quando recebeu um "Não", você passou a não servir mais para essa pessoa, que começa a desprezá-lo. Ou seja, temos a impressão de que somos descartáveis.

Minha observação mostra que as pessoas têm até três segundos para decidir se gostaram de você ou não. Quando comecei a atuar no varejo, percebi que muitos clientes me evitavam no momento da abordagem e, às vezes, posteriormente também. Comecei a tentar entender os possíveis motivos e passei a trabalhar as informações desta técnica. Também observava os primeiros instantes dos colegas. Cheguei à conclusão de que a abordagem inicial, contando a junção de fisionomia, olhar, energia, simpatia, expressão corporal, voz, roupa e empatia, girava em torno de três segundos e que, por isso, eu precisava ser o mais preciso possível para a pessoa "gostar de mim". O "cartão de visita" para atingir esse objetivo nada mais é do que cumprimentar com um sorriso franco, natural e amistoso.

O sorriso pode ser expresso mostrando os dentes ou não. No decorrer da conversa, demonstre que está receptivo ao diálogo, principalmente em atendimento ao público. Altere sua fisionomia sem exageros de acordo com o assunto, mas não se esqueça de manter o rosto sempre aberto.

Vale lembrar que essa regra é válida também com seus colegas de trabalho, mesmo que seja um simples cumprimento na hora em que você chega ao trabalho ou na hora de se despedir. Sempre faça uma saudação com o rosto aberto, para evitar interpretações negativas a seu respeito.

Nossa sociedade está cada vez mais carente e precisando de atenção. Ao demonstrar, pela fisionomia, que você está aberto a receber as pessoas da melhor forma possível, você não só conquistará seus objetivos como também fará a diferença positivamente, mesmo que seja por alguns instantes, na vida da pessoa que está atendendo.

GESTICULAÇÃO

## A "ITALIANIDADE" DA PESSOA ELEVADA À ENÉSIMA POTÊNCIA. SAIBA USAR OS SEUS GESTOS A SEU FAVOR.

Às vezes, olhamos para um vendedor atendendo e ele parece um robô pela falta de expressão corporal. Ou aquele que parece um "biruta" – o famoso boneco de posto de gasolina inflado por ar, que fica com os braços agitados de um lado para o outro. Sempre que estiver dizendo algo verbalmente, seus braços, junto de suas mãos, devem acompanhar, traduzindo o que está sendo dito com movimentos leves entre sua cintura e seus ombros.

Mantenha suas mãos abaixo da cintura apenas quando for apontar algo para baixo; e acima dos ombros apenas quando for apontar algo para cima. Com isso, você dará vida ao seu atendimento e ajudará o cliente a compreender melhor o que está sendo dito. Cuidado para não demonstrar nervosismo esfregando seus dedos.

# EMPOLGAÇÃO

## "Ô LOCO, BICHO! MAIS DO QUE NUNCA!"

Empolgação é a forma de levar as pessoas a terem vontade de fazer algo.

Elas ficam empolgadas quando você tenta convencê-las de algo?

Você já teve vontade de bocejar ou de desistir quando quiseram convencê-lo de algo, ou apresentaram um serviço ou produto sem transmitir nenhuma emoção, parecendo que estavam dormindo em pé?

Dá vontade de comprar de alguém que mostra, sem ânimo, um produto ou serviço? Desse jeito jamais ficaremos empolgados.

Sempre que você se dispuser a fazer um atendimento, seja a situação que for, não deixe apenas o corpo estar presente; esteja por inteiro, vibrando positivamente e dando vida àquele momento. O cliente deve sentir que você está feliz por estar servindo-o, e que não teria como não ficar empolgado com o que está apresentando. O grau de empolgação da pessoa que está sendo atendida por você dependerá do quanto dessa animação você conseguiu transmitir.

Pessoas sendo contagiadas com sua empolgação tendem a acatar a mensagem que você está tentando passar. Mostrar empolgação em todas as etapas do atendimento é fundamental.

A "temperatura" varia de acordo com cada cliente.

AGILIDADE

## SEJA RÁPIDO SEM SER ATRAPALHADO.

Agilidade é a forma de atuar com mais rapidez, sem atropelar, para ganhar produtividade e não perder oportunidades.

Como você se locomove quando pede para um cliente aguardar, pois precisa buscar algo para ele? Qual é o intervalo entre uma palavra e outra quando está falando?

O tempo está cada vez mais escasso, e sempre estamos correndo de um lado para outro. Então, tentamos aproveitar cada minuto da melhor forma possível. Quando um vendedor o atende e diz que buscará um produto do outro lado da loja, ou que providenciará algo, você espera que ele vá devagar ou mais rápido? E, quando está conversando com você, prefere que fale lentamente, quase parando, ou com mais velocidade, mas sem atropelar as palavras?

Você tem de estar atento a todo instante aos sinais que a pessoa que você está atendendo emite, para, com rapidez, conseguir modificar o assunto, ou oferecer outro produto ou serviço. É muito importante falar de acordo com o ritmo que o cliente impõe, mas sempre tomando cuidado com a velocidade entre uma palavra e outra, para não tornar o diálogo monótono demais ou rápido demais, a ponto de atropelar o que está falando e a pessoa não conseguir entender o que está dizendo. Se tiver de buscar um produto ou informação em algum lugar, também é importante que o cliente perceba que você está se movimentando de uma forma rápida, com a preocupação de não o deixar esperando por muito tempo. Com agilidade e rapidez, sim, mas sem sair correndo e atropelando tudo de um lado para outro.

Seja ágil nos momentos necessários. O bom senso sempre é muito importante. Às vezes, você precisará ter mais agilidade; outras vezes, menos. Sempre pense no bem-estar do cliente, e tenha cuidado para que ele não interprete sua agilidade em determinado momento como indício de pressa em mandá-lo embora.

EMPATIA

## VOCÊ SE PARECE COM SEU CLIENTE? ENTÃO ELE VAI COMPRAR DE VOCÊ.

Empatia é colocar-se no lugar do outro.

Como você se comunica quando conversa com cada perfil de pessoa? Você conversa com um senhor da mesma forma que conversa com um adolescente?

Com algumas pessoas, você fica mais à vontade para conversar, e com outras, não. Como você se sente quando está conversando com alguém que é totalmente diferente de você, por exemplo, no ritmo de falar?

Para que você consiga estabelecer um relacionamento com uma pessoa, você tem de ser semelhante a ela. Jamais as pessoas serão impulsionadas a comprar de você se não olharem e pensarem "Tem algo nessa pessoa que se parece comigo", pois compramos de quem se parece conosco, seja em atitudes, seja em aparência, estilo de vida, gostos, histórias de vida, comportamento, lazer, *hobbies*, etc.

A maneira mais simples é você se adaptar ao perfil de cada pessoa de uma forma natural, por meio de expressão corporal e ritmo, para que ela se identifique com você instantaneamente.

# CONVICÇÃO/SEGURANÇA

## VOCÊ ACREDITA NO QUE DIZ? É O PRIMEIRO PASSO.

Convicção e segurança são o peso com que se transmite cada informação para que o cliente acredite no que estamos falando.

De que forma você fala cada palavra quando precisa convencer pessoas?

Já aconteceu de alguém tentar convencê-lo de que um produto ou serviço é muito bom, mas dizendo aquelas "palavras-chave" que poderiam convencer sem força e sem expressão, como se fossem uma palavra "qualquer"?

Palavras-chave ditas no mesmo tom de toda a conversa perdem a força, e o vendedor, que tinha nelas um ótimo argumento de venda, fica com dificuldade de convencer o cliente.

Sempre que quiser internalizar nas pessoas as informações mais relevantes, que colaborarão para que elas comprem sua ideia, aumente um pouquinho o volume da sua voz, seguido de um tom um pouco mais grave e com peso apenas em algumas palavras dentro de uma frase, para que elas se destaquem e impactem positivamente a pessoa.

Fale e defenda suas ideias e tudo em que acredita com segurança. Só assim você conseguirá tocar o outro.

MOVIMENTO

## QUEM FICA PARADO É POSTE. MOVIMENTO ATRAI MOVIMENTO E AJUDA VOCÊ NA SUA META.

Um local parado, sem movimento de pessoas dentro, não estimula outras pessoas a entrarem. Essa circulação não precisa ser de clientes, pode ser da própria equipe. Movimento atrai movimento, então, se você ficar parado o tempo todo no mesmo lugar, não colaborará para um fluxo maior de pessoas. Existem lojas em que, se você passar pela manhã, verá a equipe dobrando roupa. Se passar à tarde, também verá a turma dobrando roupas. Isso é estratégia para criar movimento e, assim, atrair clientes. Portanto, não permaneça muito tempo parado no mesmo lugar quando não estiver atendendo. Perceba que, às vezes, o local está vazio, mas de repente as pessoas resolvem entrar todas de uma só vez. O que levou todos a entrarem de uma só vez foi o fato de uma primeira pessoa ter entrado no estabelecimento. Com isso, criou uma energia de movimento, atraindo outras pessoas para o mesmo local e gerando ainda mais movimento.

POSTURA

## NÃO É PRECISO SER UM LORDE INGLÊS, MAS QUEM CULTIVA BOAS MANEIRAS TEM PORTAS ABERTAS NO MERCADO DE TRABALHO.

Somos vistos e vigiados a todo momento. Mesmo se isso não acontecesse, o importante é nos perguntarmos "Quem sou eu quando ninguém está me vendo?", "Quem sou eu quando ninguém está me supervisionando?".

Todas as técnicas para uma personalidade agradável apresentadas neste livro vendem a imagem que você quer transmitir.

Você acorda cedo, toma seu banho, se troca, se desloca até seu ambiente de trabalho, às vezes encontra turbulências no caminho, chega ao local e, com muita vontade, pensa: "Hoje vai ser o dia!". Mas, dependendo da postura que você adota, ela não condiz com toda essa vontade, com toda essa inspiração que você tem.

O oposto também acontece. Nem todos os dias nós estamos bem; às vezes você está sem um pingo de vontade de trabalhar. Isso quer dizer que você não deve adotar as técnicas de personalidade agradável? Pelo contrário: aí é que você tem de aplicar as técnicas com maior afinco, para transmitir uma imagem positiva, mesmo que não esteja bem por dentro. E isso irá ajudá-lo a se preservar intacto dentro do seu trabalho. Você venderá uma imagem condizente com o que você gostaria de transmitir, que é ter uma vontade enorme de trabalhar, fazer jus ao seu cargo.

Mantenha a postura adequada não porque alguém solicitou a você, mas porque isso realmente é uma obrigação sua, o mínimo que deve fazer. "Ah, Mohamed, eu vi que meus superiores ou meus colegas não adotam essa postura." Pois então eu digo: seja único e exclusivo, não siga o grupo das multidões, seja você. Pegue dos outros só o que enxerga que pode agregar a você. O que não for agregar, deixe entrar por um ouvido e sair pelo outro.

## JAMAIS CRUZAR OS BRAÇOS

### O CORPO INFORMA: BRAÇOS CRUZADOS SÃO SINAL DE IMPEDIMENTO.

A partir do momento em que cruzamos os braços ou colocamos as mãos nos bolsos, transmitimos a mensagem de que não estamos com vontade de trabalhar, de que estamos sem ânimo. Pior ainda se fizermos isso enquanto alguém conversa conosco: isso significa que não estamos abertos ao que a pessoa está falando.

Então, tome cuidado. Por pior que seja o assunto que o seu superior ou cliente esteja falando, não importa quem seja, se chegar a você e disser algo que não lhe interessa, não cruze os braços – caso contrário você comunicará por essa postura que não está com um pingo de interesse na conversa.

# NÃO FICAR DE COSTAS PARA A ENTRADA

## OU A VENDA DARÁ AS COSTAS PARA VOCÊ.

Se você trabalha em algum estabelecimento comercial, não fique de costas, pois assim não conseguirá receber seu cliente de braços abertos. Além disso, ao se posicionar de costas você fica impedido de ver o que acontece ao seu redor para aproveitar todas as oportunidades de vendas. Cuide dos bens do local, cuide de seu colega, e não perca nenhuma oportunidade de atendimento.

APARÊNCIA

## A MANEIRA COMO VOCÊ SE MOSTRA É O SEU MAIOR CARTÃO DE VISITA.

A aparência é como você se apresenta em seu ambiente de trabalho.

Que imagem você transmite por sua aparência?

Já foi atendido por um garçom com as unhas mal cortadas e sujas, por um vendedor com mau hálito, por um enfermeiro com a roupa branca e o sapato roxo, ou qualquer outro caso similar? Chocante, não? Tantas coisas mais interessantes para chamar a nossa atenção, como produtos, alimentos e serviços prestados, mas sempre conseguimos levar nosso olhar para esses pequenos grandes detalhes que, muitas vezes, nos fazem desistir de frequentar o local.

Você vende sua imagem por sua aparência, pois estamos vivendo em um mundo cada vez mais exigente e com pessoas que compram pela embalagem. Não se esqueça de que, além disso, você está representando uma empresa, e o mínimo que se espera é que você esteja devidamente trajado. Sua aparência se resume àquilo que é visto por todos, ou seja, unhas, cabelo e barba de acordo com as normas da empresa, uniforme completo, roupas escolhidas com bom senso, sempre limpas e passadas, e higiene pessoal completa.

O primeiro impacto que as pessoas têm é o visual. Esteja sempre impecável. Você não só estará fazendo o que é sua obrigação como também estará alinhado ao mínimo que as pessoas esperam de você.

# TÉRMINO DO ATENDIMENTO

## JÁ VENDI. SERÁ QUE NÃO PRECISO MAIS DE VOCÊ?

Muitos vendedores, quando terminam o atendimento, simplesmente largam o cliente sozinho sem dizer nada, ou apenas agradecem como qualquer outro vendedor. Não seja assim! Faça um ótimo encerramento para que seu cliente possa se sentir importante e perceba quanto você valoriza a presença dele e suas escolhas.

Agradecer ao cliente e dizer que ele fez um ótimo investimento, que você sempre estará disponível e que sempre será um prazer atendê-lo são pequenos mimos que fazem a diferença. Essas expressões farão com que o cliente não se sinta mais um, ou seja, farão ele se sentir uma pessoa especial. Mostram que, independentemente de ele comprar ou não, você sempre estará disposto a atendê-lo.

Continue simpático mesmo após a venda. Entregue seu cartão ou repita seu nome, se achar necessário, para que ele possa sanar alguma dúvida posterior. Essa é uma das partes mais importantes para que o cliente deixe a loja ou empresa satisfeito, com a sensação de que fez a melhor escolha.

## TÉCNICAS – PARTE 2: "SERVIR"

Demonstre ao cliente que você está lá para servir, independentemente de ele ter intenção de comprar ou não. Isso fará com que ele não fique desconfortável e esteja mais à vontade na sua presença.

Nas próximas páginas, conheça as técnicas ligadas à atenção que é dada ao cliente. Elas melhorarão muito a experiência do consumidor na loja ou empresa onde você trabalha.

# FALTANDO POUCO PARA FECHAR A LOJA

## "TÁ ACABANDO O DIA, QUERO IR PRA CASA!"

Quando a loja está para fechar – faltando vinte ou trinta minutos para o encerramento –, é impressionante como as pessoas que trabalham no estabelecimento ficam com as anteninhas mais ligadas do que nunca, torcendo para que nenhum cliente entre, com medo de precisar ficar ali depois do expediente.

O consumidor que entra nessa hora logo percebe a vibração negativa emitida pelo atendente, o rosto e o corpo sendo arrastados com uma expressão corporal que informa: "Não me perturbe! Fale logo o que quer ou vá embora".

Você deve atender o primeiro cliente e o último com a mesma presteza e a mesma dedicação. Imagine-se no lugar dele: você não ficaria frustrado se alguém o atendesse dessa forma, fria e sem emoção? Ponha-se no lugar daquele cliente que está entrando. Pode ser a maior venda do dia e você está prestes a desprezá-la. Ao ver alguém caminhando pelo estabelecimento, seja a hora que for, erga a cabeça e inicie o atendimento. Em alguma ocasião, tenho certeza de que você ficará bem surpreso e se lembrará dessa lição.

O dia vai acabar de qualquer forma, e você vai, sim, descansar ou cumprir seus compromissos previamente marcados para depois do expediente. Mas se esqueça disso naquele momento. Você tem a escolha de ir para casa acreditando estar frustrado porque trabalhou cinco minutos a mais, e irritado porque não vendeu nada. Ou pode ir para casa realizado e satisfeito porque aqueles cinco minutinhos a mais lhe renderam o melhor atendimento do dia. A escolha é somente uma questão de atitude do vendedor.

# NÃO JULGAR OS CLIENTES

## A "CARA DE QUEM NÃO VAI COMPRAR" É FRUTO DA SUA IMAGINAÇÃO.

A pior coisa que existe é você entrar em um local e os vendedores o julgarem, ou pela forma como você está vestido, ou porque acham que você tem a famigerada "cara de quem não vai comprar".

O papel do vendedor não é ficar julgando, e sim prestar o melhor atendimento e dar a melhor atenção possível não importa a quem.

Entregue-se por completo a todas as pessoas para as quais prestar atendimento. Você verá os frutos que colherá.

Há uma história que diz que o dono de uma transportadora entrou em uma agência de caminhões para ver alguns modelos. Estava vestido de forma muito simples, de bermuda e chinelos, para olhar o que havia disponível. Foi tratado de qualquer maneira, anotou algumas especificações sem se identificar e foi embora.

Passados dois dias, voltou de terno e gravata e deu de cara com o mesmo vendedor que tinha prestado um mau atendimento. Chamando outro funcionário – que não era vendedor –, pediu em alto e bom som que lhe fosse trazido o profissional com menos tempo de casa, o mais inexperiente.

Quando apareceu o menino, ainda acanhado, para atender o senhor engravatado, o empresário olhou para os caminhões e disse: "Feche uma venda de dez destes para mim".

Aquele vendedor que não tinha tratado bem o cliente, tendo reconhecido sua fisionomia e se lembrando do mau papel que havia feito, não sabia onde pôr a cara.

Situações como essa são muito frequentes e nos ajudam a refletir: por que rotular? O atendimento deve ser igual para todos, pois nossa atual economia foi moldada visando ao consumo. Como ir a lojas e shoppings deixou de ser um evento e se tornou algo corriqueiro, as pessoas não precisam vestir roupa de festa para comprar. Elas estão indo mais simples e confortáveis, e isso não lhes tira o direito do respeito. Nós temos uma função e algumas ferramentas, basta aplicá-las sem olhar a quem. O julgamento está dentro da cabeça de quem o faz. Não julguemos para não criar um bloqueio desnecessário, que jamais deve existir na área de vendas.

# NENHUM CLIENTE É PERDIDO (OU "FAÇA ACONTECER")

## CAROÇO É NO ABACATE. NA LOJA, NÃO!

Não existe cliente perdido ou "caroço" (o apelido dado para aquele consumidor que não quer nada); existem profissionais que não cavam a oportunidade de criar um ambiente, uma situação, para surpreender uma pessoa, mesmo que ela tenha entrado por engano em um estabelecimento comercial.

Dê o máximo de atenção à pessoa e crie uma aproximação para que ela fique à vontade com você. Ela deve sentir que seu interesse não é tentar vender algo, mas fazer ela ter um momento agradável enquanto permanecer no local, sem a obrigação de comprar algo. A melhor forma é começar um pequeno bate-papo que nada tenha a ver com venda. Essa conversa inicial decorre dentro do assunto que partir dessa pessoa, sem pressa, com você se mostrando interessado no que ela está dizendo.

Faça perguntas leves e coerentes, pois ela gostará de falar sobre o que a atrai. Quando perceber que a pessoa entrou em sintonia com você e que está mais à vontade, fale sobre o que quer lhe apresentar.

Mas não se esqueça de um detalhe: o segredo é a pessoa não sentir que, se você falar sobre algo, ela será obrigada a comprar. Você está apenas passando uma informação. Claro que você usará a técnica "Como apresentar um produto ou serviço" (página 151), para que as chances de ela dizer "Sim" aumentem.

Esteja ciente de que, mesmo tendo se disponibilizado e despendido energia e tempo com essa pessoa, ela tendo agradecido e ido embora sem comprar nada, você continuará sendo a mesma pessoa até o final e prosseguirá com a mesma garra e empenho, ou melhor, aguardando o próximo cliente.

A "cara de quem não vai comprar" é coisa da cabeça do vendedor. Há sempre clientes e clientes, como podemos ver nos "causos" no fim deste livro. Existe uma importância muito grande em saber como levar cada tipo de pessoa, a fim de extrair o seu maior potencial. Se o cliente está no estabelecimento, algum objetivo de compra ele tem.

Se ele não tiver nenhum objetivo de compra, este pode ser criado, basta explorar.

# COMO ATENDER VÁRIOS CLIENTES AO MESMO TEMPO

## "PERAÍ QUE EU JÁ TE ATENDO!"

Muitas vezes vejo vendedores perdidos e sem saber o que fazer quando o estabelecimento tem um movimento inesperado, com um número de clientes muito maior do que o de vendedores. O primeiro passo é manter o próprio domínio e não transmitir descontrole, fúria ou qualquer coisa negativa aos clientes. A partir do momento em que eles perceberem que você está se desdobrando para conseguir dar a melhor atenção, mesmo que seja curta, a grande maioria entenderá.

Alguns passos a serem seguidos são extremamente importantes para que consigamos dar o mínimo de atenção a cada pessoa. Infelizmente, você não conseguirá se dedicar completamente a cada uma, mas sua performance valerá a pena e será reconhecida pelos clientes.

Veja a seguir o resumo dos passos.

1. Descubra o que o cliente procura.
2. Encaminhe-o até o setor.
3. De uma forma clara, rápida e objetiva, oriente sobre como os produtos e serviços que ele procura estão expostos naquele setor.
4. Informe também sobre os outros setores da loja.
5. Deixe-o olhando, explorando e comparando os produtos.
6. Peça licença, diga que está disponível e aborde o próximo cliente.

7. Enquanto não abordar o próximo cliente, cumprimente--o a distância e diga com gestos que logo o atenderá, com o rosto aberto e sorridente.

O processo é cíclico.

Isso acontece, muitas vezes, nas vésperas de grandes datas comemorativas. Essas ocasiões lotam as lojas, e fica bem difícil poder dar atenção para todos. Por essa razão, concentre--se no trabalho, para dar o melhor atendimento a cada um. Sempre peça desculpas pela demora e faça cada cliente se sentir único e exclusivo.

## PALAVRAS ANTES DE COMEÇAR A APRESENTAR O PRODUTO OU SERVIÇO

## UMA INTRODUÇÃO DO VENDEDOR PARA O CLIENTE.

Veja aqui, novamente, como iniciar a conversa com o cliente.

{
"INICIALMENTE,"

+

"VOU LHE APRESENTAR UM [OU DOIS, OU TRÊS OU QUATRO]"

+

"PRODUTO[S] OU SERVIÇO[S] DENTRO DO ESTILO QUE VOCÊ PROCURA."
}

Por que cada uma dessas frases? Acompanhe as explicações a seguir.

× "INICIALMENTE,": este começo quer dizer que você está aberto a apresentar mais opções caso a pessoa não goste do que você lhe mostrar primeiro. A vírgula após a palavra serve como uma pausa, e você deve se certificar de que o seu cliente está olhando para você.

× "VOU LHE APRESENTAR UM [OU DOIS, OU TRÊS OU QUA-TRO]": esta frase é necessária para que você limite a atenção inicial do cliente ao número que você escolher. Isso diminuirá as chances de o cliente querer saber dos quinhentos itens que você vende e se perder no meio do caminho, além de evitar que você baixe a loja inteira e ele diga um "Não".

× **"PRODUTO[S] OU SERVIÇO[S] DENTRO DO ESTILO QUE VOCÊ PROCURA."**: esta frase é necessária para que o cliente saiba que esses itens iniciais traduzem aquilo que ele veio buscar e não estão fazendo-o perder tempo com mercadorias ou serviços que não lhe interessam.

## CLIENTE QUE CHEGA COM O DINHEIRO CONTADO

### "O QUE EU CONSIGO COMPRAR COM ESSAS DUAS MOEDAS, TIO?"

O cliente chega à loja, vai olhando os produtos e, quando você o aborda, ele informa que só tem "R$ xx" para a compra.

Há vários caminhos para adotar nesta situação.

Inicie sondando do que ele precisa, veja o que a quantia que ele tem pode comprar e apresente as opções, procurando sempre agregar valor aos produtos ou serviços.

Na conversa, você conseguirá absorver mais informações sobre a compra: se é presente, se é para ele, qual é a ocasião em que o item será usado, etc. Durante esse bate-papo, a quantia que ele tem poderá se tornar o preço de apenas uma parcela também. Use essa técnica em conjunto com a técnica "Vender vários produtos e serviços para um só cliente" (página 184), afirmando sempre que o investimento (use essa palavra, e não a palavra "gasto") será bem aplicado.

## CLIENTE QUE VEM SÓ PARA VER O PREÇO DO PRODUTO QUE GANHOU

## A CURIOSIDADE MATOU O GATO E VENDEU A LOJA TODA.

Muitas pessoas são tão curiosas que, quando ganham um presente, tentam descobrir quanto ele custou, qual foi o investimento feito pela pessoa que a presenteou. Em vez de criticar ou perder tempo com julgamentos, pense que você tem à sua frente uma pessoa que pode se tornar uma cliente. Só depende de você.

Atenda tão bem quanto você atenderia seus outros clientes, pergunte se gostou do presente, se já o usou, deixe a pessoa ficar bem à vontade com você. Utilize a técnica "Nenhum cliente é perdido (ou 'Faça acontecer')" (página 105).

A pessoa pode acabar encontrando outros itens que sejam do agrado dela, ou até algo que possa fazer par com o item presenteado e que ela não sabia que existia. Uma venda sempre puxa outra, mesmo que a primeira compra tenha sido realizada por outra pessoa.

## PESSOAS QUE VÊM ACOMPANHADAS SÓ PARA CONTAR ÀS OUTRAS SOBRE OS PRODUTOS QUE JÁ TÊM

## "SILÊNCIO, POR FAVOR, QUE EU ESTOU FALANDO!"

Existem pessoas que têm necessidade de autoafirmação perante as demais. Algumas delas, quando entram acompanhadas em estabelecimentos comerciais, apresentam o comportamento de se movimentar de um lado para o outro com os acompanhantes apontando tudo o que já têm dali e onde compraram, ou os produtos que já conhecem.

O vendedor geralmente fica perdido, sem saber o que fazer; também vai de um lado para o outro tentando acompanhar o ritmo e reter a atenção. Muitas vezes, a pessoa nem ouve o que você fala, anulando sua presença por completo. Isso não é surpresa, pois, enquanto ela não conseguir "provar" todo o seu conhecimento e ter satisfeita sua vontade de falar, ela não lhe dará atenção suficiente para que você não atrapalhe seu momento de glória. Então, deixe a pessoa trabalhar para você.

Como?

Simples: em primeiro lugar, mantenha sempre o rosto aberto e demonstre que você aprova e admira o que ela está falando. Apenas observe e ouça com atenção tudo o que está sendo dito, pois ela mesmo está "se sondando" para você, para que você tenha informações suficientes para uma conversa depois.

Não tente dizer nada enquanto ela estiver eufórica e falando; apenas a observe e a acompanhe, dando espaço, ou seja, com uma distância um pouco maior do que aquela que você mantém quando está atendendo outro cliente, mas sempre atento, caso a pessoa solicite algo. Isso a deixará livre.

Quando perceber que ela já conseguiu falar praticamente tudo o que queria sobre seu conhecimento às pessoas que a acompanham, esse é o momento de entrar em ação e surpreendê-la.

Pergunte o nome dela e comente brevemente como é bom receber pessoas que conhecem tanto e usam tantos produtos ou serviços (comente alguns que você ouviu ela falar. Isso fará ela se sentir importante perante os amigos).

Depois, diga que uma pessoa que conhece tanto não pode ficar sem o produto ou serviço X, explicando os motivos. Nesse momento, agregue muito valor, demonstrando exclusividade ao que for demonstrar, para que ela não queira "ficar de fora" e fazer feio diante dos amigos.

Embora esse tipo de cliente possa ser bem inconveniente, ele também pode ajudar o vendedor. Só o fato de ele estar acompanhado já cria a possibilidade de você poder vender, de uma só vez, para mais pessoas. Você deve ter cuidado para não o ofender. Tenha em mente que ele pode, do jeito dele, tornar-se um aliado.

## CLIENTE QUE ESTÁ OLHANDO PARA PEDIR DE ANIVERSÁRIO

### HORA DE VENDER UM PRESENTE A MAIS!

O cliente entra em sua loja e diz que fará aniversário e quer escolher um presente para uma pessoa específica voltar para comprar.

Automaticamente, o vendedor tende a se desmotivar ao atender essa pessoa.

No entanto, você pode surpreendê-la, deixando-a tão encantada com o seu atendimento que, além de escolher o presente que pedirá, ela acabará comprando algo naquele exato momento para se presentear, pois ela merece.

Para esta técnica, existem dois segredos: o primeiro é a pessoa gostar de pelo menos duas coisas diferentes; o segundo é não dizer a ela em nenhum momento que você está mostrando para que ela, além de pedir de presente, leve algo naquele momento.

Aplicando a técnica "Como apresentar um produto ou serviço" (página 151), demonstre que está totalmente empenhado em ajudá-la, fazendo ela ficar encantada e em dúvida entre pelo menos dois produtos ou serviços. No final do atendimento, surpreenda-a, orientando que o item X é para ela pedir de aniversário e que o item Y é para ela se presentear.

As pessoas geralmente gostam de agradar a si mesmas com compras. Quando seu presente deixa de ser surpresa e ela quer escolher o que vai ganhar, é comum que essa pessoa seja alguém bem exigente. Isso pode ser um fator positivo, já que é muito mais fácil que ela escolha algo para si, que possa levar já naquele momento, como um mimo pessoal. Já ouviu a frase "Dê um presente para você mesmo?".

O cliente que aparece para ver o que pedir de aniversário, com o seu bom atendimento, também terá chances de "pedir a ele mesmo" algo que quer muito. Com essa técnica, você conseguirá aflorar isso nele.

## EXPRESSÃO FACIAL QUANDO A PESSOA DIZ, NO FIM, QUE NÃO COMPRARÁ NADA OU QUE ESQUECEU O CARTÃO

### "IH, PERDI O MEU TEMPO!"

Você atendeu o cliente da melhor forma possível durante todo o processo, mas, quando ele deu sinais de que não compraria nada, ou de que esqueceu a carteira, você virou outra pessoa, torcendo o rosto, acelerando o cliente, etc. A expressão de decepção foi nítida.

Pior ainda quando a pessoa foi abordada na rua, parou para lhe dar atenção mesmo estando com pressa, ouviu o que você tinha a dizer, mas, quando agradeceu e informou que não tinha interesse no que você ofereceu, você lidou com ela como se fosse descartável (já que não serviu, vou abandoná-la mesmo, sem agradecer por ter dado atenção, e vou logo abordar outra ou descansar, pois essa não irá me dar o que quero).

Não é assim que funciona. Você já se perguntou por que as pessoas voltam? Se o cidadão esqueceu a carteira ou o cartão, mas gostou do produto, você pode ter deixado uma bela de uma venda engatilhada. Há a chance de ele não vir, obviamente, mas melhor trabalhar com 50% de possibilidade do que com zero por você tê-lo enxotado. Se ele não quis comprar ou se, na rua, não demonstrou interesse, agradeça mesmo assim.

Sua profissão faz com que, inevitavelmente, você lide com pessoas. Essa é a maior lição humana e a maior lição do vendedor. E você não perdeu seu tempo: está exercendo a sua função.

## TÉCNICAS – PARTE 3: "CONFIANÇA"

Diminua as barreiras entre você e seu cliente, conquistando a confiança dele, para que siga suas instruções e sugestões.

Nas próximas páginas, conheça as técnicas que ajudam a estabelecer a confiança e aumentar a possibilidade das vendas.

ÉTICA NOS ATENDIMENTOS

**EU SOU A MENTIRA.
MINHAS PERNAS SÃO CURTAS.
ACHO QUE SOU LEGAL, MAS NÃO
SEI POR QUE NÃO VENDO NADA.**

Não precisamos tomar certas atitudes para conseguir vender. É melhor você vender 20% seguindo princípios e valores do que vender 100% no "vale tudo" para alcançar esse objetivo. A falta de princípios se resume a mentiras, falsas promessas, enganações, caretas ou críticas quando o cliente não estiver vendo. Se ele perceber, a coisa fica feia.

Devemos ser éticos em tudo o que fazemos na vida. Se gostamos de ser tratados com respeito e justiça, também sejamos honestos conosco e com os outros. Relacionamentos humanos se constituem na integridade, e a venda é um relacionamento humano importante.

Não podemos nos esquecer de que, além da nossa consciência, o consumidor também é amparado por lei específica, o Código de Defesa do Consumidor, e pode acionar a nossa empresa caso prove que algo está errado, nos colocando em sério risco. Se você prometer algo, faça. Se não pode cumprir, não prometa. Se algum prazo terá de ser revisto, seja franco. Se a culpa foi sua, peça desculpas e assuma o erro. Se o erro não foi seu, mas da empresa, desculpe-se da mesma forma. Não critique o cliente, nem na frente dele nem pelas costas. Preste atenção para não escorregar nesses princípios.

O atendimento em vendas, em sua essência, é algo bonito e prático. É um ciclo. O cliente tem uma ideia, vai até a loja, o vendedor o atende, oferece o produto ou serviço, o cliente compra, paga pelo artigo que deseja, o vendedor agradece, o cliente vai embora satisfeito. Nessa lógica, cada um fez a sua parte, ninguém enganou ninguém, e o consumidor certamente voltará. Agora, se em algum momento um dos lados agir de má-fé, toda a lógica da venda estará condenada. E a mentira tem pernas curtas, é prejudicial, não vende e não vai longe.

# NÃO SER MAIS UM VENDEDOR INDESEJÁVEL

## DICAS PARA NÃO SE TORNAR "CHICLETE". ISSO FAZ DE VOCÊ UM CHATO!

Vendedores têm a fama de serem pessoas chatas, grudentas, interesseiras, mentirosas, "empurradores" de coisas. Isso não quer dizer que você desistirá no primeiro "Não".

Alguns cuidados lhe possibilitam ser um vendedor diferente e bem-visto por seus clientes – como não fazer falsos elogios, evitar ficar tocando a pessoa, manter o hálito agradável e não insistir diversas vezes na mesma situação quando o cliente disser "Não". Por exemplo, você ofereceu algo e o cliente disse "Não"; então, você falou, de uma forma leve e agradável, um pouco mais sobre os benefícios que teria ao adquirir o que está mostrando, e ele insistiu no "Não". Se você continuar insistindo em convencê-lo, isso certamente causará antipatia e desconforto.

Temos que ficar atentos para distinguir o momento em que vale a pena insistir um pouco mais do momento em que a insistência nos tornará chatos. O mesmo vale para a situação em que você telefona seguidas vezes, de hora em hora, ao cliente quando está aguardando uma resposta.

É esse vendedor chato que motiva o cliente a entrar na loja dizendo que está "só olhando". Nossa função, então, é acabar com esse estigma, mostrando que nós podemos ajudar de fato. Quando um chiclete gruda em nosso sapato, nós fazemos de tudo para que ele solte: pisamos, esfregamos, por vezes o artefato grudento acaba até mutilado. É assim que fica a moral do vendedor chato, que ninguém quer por perto. Um vendedor bem-visto e benquisto faz toda a diferença para quem compra, para quem contrata e para ele mesmo.

Esforce-se para ter uma personalidade agradável, marcante, cujas boas características se irradiem quando você passar. Para manter um bom nível de crescimento, você deve avançar na vida com o mínimo de atrito, atentando para alguns detalhes:

- tenha comunicabilidade;
- esteja em harmonia com você mesmo;
- tenha determinação e sinceridade de propósitos;
- trabalhe seus pensamentos positivos e seu entusiasmo;
- mantenha mente sã e corpo são;
- seja versátil e flexível;
- saiba ouvir.

Saber administrar esses itens constitui algo muito importante, o marketing pessoal. Sua imagem estará sempre à frente de qualquer negócio, por isso é tão importante cuidar bem dela.

# NÃO PENSAR APENAS NA VENDA

## SEJA MAIS HUMANO E MENOS MÁQUINA.

Você tem metas diárias, semanais, mensais, semestrais, anuais para atingir. Sofre pressão de seus superiores, pressões externas, pressões pessoais – é tanta pressão de um lado e de outro que você, muitas vezes, acaba transferindo-a para seu atendimento. Como consequência, você olhará para seu cliente como cifrões e gráficos, e ele olhará para você como uma pessoa que só tem interesse em vender para bater a meta.

Saber o que e quanto precisa vender e correr atrás para isso é o mínimo que deve fazer; mas, para que você consiga atingir seus objetivos mais rapidamente do que imagina, tire todo o peso dos ombros e das costas e esqueça e elimine toda a pressão enquanto estiver atendendo. Preocupe-se apenas em atender o cliente da melhor forma possível. Não pense somente na venda; ela virá naturalmente quando o cliente sentir e perceber que seu intuito é o de prestar o melhor atendimento com todo o coração e proporcionar uma experiência única no momento em que estiver diante de você. A venda será decorrente da experiência positiva que o cliente teve em seu atendimento.

OUVIR O CLIENTE

## DUAS ORELHAS PARA ESCUTAR MAIS. UMA BOCA PARA FALAR O NECESSÁRIO.

As pessoas dão mais valor a quem sabe ouvir. Às vezes, alguém acaba de conhecer você e sai imediatamente fazendo elogios por todos os cantos unicamente pelo fato de você tê-lo ouvido (muitas vezes, você não conseguiu expressar uma única palavra).

No caso do atendimento, além de seu cliente se sentir importante – uma vez que você está fazendo algo que dificilmente alguém faz por aquela pessoa –, saber ouvir ajuda a ter mais argumentos durante a venda, pois você tem a possibilidade de conhecer alguém que nunca viu na vida.

Demonstre, por meio de seu olhar e de sua expressão facial, que está interessado no que o seu interlocutor fala para você, pois qualquer pessoa, quando se sente valorizada, tende a se tornar um cliente fiel.

PENSAR ANTES DE APRESENTAR
UM PRODUTO OU SERVIÇO

## NA VENDA, O "BATE-PRONTO" NÃO TEM GRAÇA.

O cliente mal expõe o que procura, o vendedor já vai apresentando opções. Por mais que você já tenha o domínio de traduzir o que o cliente busca, se ele não olhar para você e sentir que você parou, mesmo que por um segundo, para pensar em algo antes de começar a oferecer as opções, não ficará tão seguro, pois não achará que você filtrou todas as inúmeras opções que tem antes de escolher os artigos que realmente são compatíveis com ele; ou seja, vai supor que o que você está mostrando a ele mostraria para qualquer um.

Antes de apresentar algum produto ou serviço, demonstre ao cliente, por meio de um silêncio rápido, que está pensando em algo dentro da sondagem feita, para que ele sinta que você apresentará produtos ou serviços que estejam alinhados a ele – e não que está parado porque não tem domínio ou não sabe o que apresentará.

## NÃO GOSTAR DE UM PRODUTO OU SERVIÇO PARA GANHAR CONFIANÇA

### NEM TUDO SÃO FLORES. O CLIENTE SABE DISSO MUITO BEM, MAS É BOM QUE VOCÊ MOSTRE.

Alguns vendedores falam que tudo está ótimo e perfeito para o cliente, mesmo não estando. O consumidor de hoje está muito mais antenado do que os do passado, e essa atitude o faz perder a confiança.

Para ganhar pontos durante o atendimento, é de bom-tom informar que um dos produtos ou serviços apresentados não está adequado ao cliente e explicar o motivo. Mas aplique essa técnica se o produto realmente não estiver condizente com o cliente. Caso necessário, apresente algo fora do perfil do cliente e aplique a técnica. Isso fará ele perceber que seu interesse principal não é a venda, e sim ajudá-lo a escolher algo que realmente tenha a ver com ele. Mostrará também que está do lado dele e com disposição para encontrar os produtos ou serviços mais adequados.

Você olha o estilo do cliente e percebe que ele gosta de camisas lisas mais modernas e joviais. Leva-o até o setor em que está exposta uma camisa com um corte mais tradicional e diz a ele: "Este modelo não ficaria bem em você", e explica os motivos. O cliente concordará, e você volta a mostrar algo mais condizente. Certamente ele ficará ainda mais interessado em seu atendimento e se sentirá mais seguro por saber que você não apresentará algo que não combina com ele.

## QUANDO O CLIENTE DISSER QUE NÃO GOSTOU

### A ESPERANÇA É A ÚLTIMA QUE MORRE.

Muitas vezes o cliente não sabe expressar suas necessidades, seus gostos e o que veio buscar. Ou você não o sondou o suficiente para entender suas necessidades. Quando o cliente disser que não gostou de algum produto ou serviço, antes de apresentar outro é muito importante você entender o que não lhe agradou, para que no próximo você não mostre nada com as mesmas características e fique mais perto de acertar.

O cliente não gostou do produto ou serviço, mas, se ele está diante de você, há oportunidade para reverter a situação ou mostrar alguma outra coisa. Se ele está parado, ouvindo suas explicações, pressupõe-se que seu desejo é o de comprar algo. Se você já descobriu por que ele não mostrou interesse pelo que foi ofertado, é hora de ver como agradar com outras mercadorias ou serviços. A esperança é sempre a última que morre, mas não se esqueça de usar as técnicas corretas.

## COMO AGIR E FALAR SOBRE OS PRODUTOS E SERVIÇOS DA CONCORRÊNCIA

## "O ELETRO X-Y-Z NÃO PRESTA. COMPRE DE MIM, QUE SOU MAIS BONITO." (SÓ QUE NÃO...)

Não precisamos denegrir e desvalorizar quaisquer pessoas, produtos, serviços ou o que/quem quer que seja para nos beneficiar de alguma forma. Além de você perder a credibilidade, mostrando desespero, desrespeita quem você está denegrindo e a pessoa que está ouvindo, e isso certamente não o fará atingir seus objetivos.

O melhor a fazer é agregar o máximo de valor ao produto ou serviço que está apresentando, além de mencionar todas as vantagens que o cliente adquirirá. Para isso, aplique a técnica "Como apresentar um produto ou serviço" (página 151). Durante o atendimento, não fale o nome do concorrente, senão você estará ajudando a outra marca, fazendo seu cliente se lembrar dela – acaba sendo uma espécie de propaganda inversa, além de ser antiético.

Caso o concorrente tenha qualidade, reconheça-a na sua consciência e tente pensar em como seu produto ou serviço pode se mostrar melhor. Quando temos um bom concorrente, ele passa a ser uma ferramenta benéfica para que nos tornemos melhores. Claro que é bom nadar de braçada no mercado quando não há nada semelhante ao que vendemos, mas a competitividade é uma característica do nosso tempo. Se o cliente citar que o produto ou serviço do concorrente faz tal coisa, concorde sem criticar e continue mostrando o que tem a oferecer. Qualquer crítica, se necessária, deve ser sutil e em outro momento, sem mencionar a marca. E criticar não é detonar a outra empresa, é apenas se colocar como opção válida e garantir a satisfação de quem compra.

O cliente pode vir falando diretamente de um produto ou serviço, ou uma marca ou rede. Se as Lojas Eletro X-Y-Z "não valem nada", elas têm vendedores tão bons quanto você. Encha a sua bola, valorize o seu peixe. O mercado tem espaço para todos; nós só estamos trabalhando para que nosso espaço seja respeitado e, quem sabe, se torne maior.

Se o cliente diz que o produto ou serviço do concorrente é bom e veio até você para fazer uma comparação, ele está lhe dando uma chance! Aproveite-a, explique, exponha e demonstre seu produto ou serviço. O cliente está na sua frente, não no concorrente! Chame a atenção dele para as vantagens de seu produto ou serviço e deixe claro que, por você ter estudado sobre os da concorrência, sabe o que ela não tem a oferecer.

Quando ele falar diretamente de marca ou de uma rede, uma boa saída é dizer: "Aqui o senhor terá meu total apoio para conseguir resolver todas as situações. Aconteceu tal coisa lá? Aqui eu posso fazer isso, isso e isso para o senhor".

Ter esse jogo de cintura de realçar suas qualidades sem desqualificar a concorrência é muito bom, porque não o rotula e não mancha sua ética. O cliente o verá com outros olhos, pois você se mostra honesto e confiável ao defender o que conhece. Isso facilitará sua relação com quem está comprando e possibilitará a venda, pois o cliente verá que não há necessidade de procurar o concorrente se ele foi tão bem recebido, respeitado e bem tratado no seu atendimento.

# CLIENTE QUE QUER FICAR SÓ

## *FOREVER ALONE.*
## ATÉ A VENDA SE CONCRETIZAR.

Muitos clientes entram na loja e dizem que querem ficar sozinhos, pois consideram os vendedores chatos, "empurradores de coisas" ou forçados, tudo por conta de experiências anteriores frustrantes e negativas. Outras vezes, eles preferem entrar, descobrir sozinhos se vão querer alguma coisa e só então chamar o vendedor para dar suporte. Ou, ainda, a pessoa entra sabendo que não comprará nada e por esse motivo prefere não chamar o vendedor, por pensar que o profissional perderá seu tempo com ele.

Demonstre que você é um vendedor diferente, que fará ele se sentir à vontade. Para isso, adote algumas atitudes: quando ele disser que quer ficar só, não demonstre frustração, ou seja, mantenha o rosto aberto e receptivo, transmitindo respeito à sua escolha. Enquanto ele estiver circulando, não o abandone indo conversar com o colega. Discretamente, fique atento a tudo o que ele está fazendo, sem que ele perceba – ele se sentirá incomodado se notar que você o está seguindo como uma sombra ou que está olhando para ele mesmo que de longe. Quando perceber que ele está mais "relaxado" e que se desarmou (pois percebeu que está sendo respeitada a vontade dele), chegue devagar, sutilmente, aplicando a técnica "Nenhum cliente é perdido (ou 'Faça acontecer')" (página 105).

Novamente digo: se ele está no estabelecimento, a probabilidade de compra existe. Não menospreze ninguém que entrar na loja, pois é a sua função transformar a indecisão em boas vendas. O cliente que quer ficar sozinho pode também estar daquela maneira porque precisa de um tempo para pensar no que levar. Seu sucesso por tê-lo respeitado pode ser maior do que você imagina.

## CLIENTE INIBIDO

### SÓ FALTA VOCÊ TER DE SEGURÁ-LO PELA MÃO.

O cliente inibido é aquele que quer motivos para comprar, quer que você o convença. Geralmente, é uma pessoa tímida, que precisa de atenção no atendimento e possui grande carência. A técnica em atendê-lo consiste no encorajamento, dando-lhe confiança e segurança. Conduza-o, passo a passo, deixando-o pensar que ele decidiu tudo, para que ele fique satisfeito. Use exemplos de concorrentes dele que compraram seu produto ou serviço e, a todo momento, faça-o se sentir o centro das atenções.

# CLIENTE COM RACIOCÍNIO LENTO

## É DEVAGAR, É DEVAGAR, DEVAGARINHO...

Ele pensa devagar, toma as decisões com cuidado, pensa e repensa várias vezes. Tem dificuldade para assimilar as informações, quer os mínimos detalhes, é cauteloso e demonstra dificuldade em associar elementos. Muitas vezes, você precisa repetir as coisas para que ele entenda, e mesmo assim ele se perde no meio das explicações.

Para atender esse cliente, argumente com lentidão, mantenha a atenção na sua explicação e no que ele diz, não o acelere, aceite o seu ritmo, acompanhe sua capacidade de retenção de informações e use exemplos fáceis. Não se atropele para falar, fale devagar, de forma clara e simples, e somente o necessário. Se precisar repetir os argumentos várias vezes, faça-o sem cerimônias.

CLIENTE DESCONFIADO

## "É VOCÊ QUE ESTÁ DIZENDO, NÃO SOU EU..."

O cliente desconfiado também é muito típico. Firme em suas decisões, mas sempre com o pé atrás. Ele não acredita em nada, suspeita de tudo, debate e quer saber todos os porquês. É um cliente que faz muitas perguntas, às vezes até as repete, e não sossega enquanto não entender tim-tim por tim-tim.

Se o cliente demonstra toda essa firmeza, você também precisa tê-la. No atendimento, faça afirmações que possam ser provadas naquele momento, com detalhes lógicos. Transmita confiança e procure não dar oportunidade para novas perguntas. Quando for expor seus argumentos, seja seguro, com dados reais, sem demonstrar fome pela venda. Trate-o como se fosse seu aliado e venda confiabilidade e tradição.

CLIENTE MAL-HUMORADO

## "BOM DIA!"
## "O QUE É QUE TEM DE BOM?"

É bem difícil lidar com um cliente mal-humorado. Ele é teimoso, gosta de briga e é extremamente radical em suas opiniões. Ele critica a empresa, a concorrência e até você. É muito nervoso, discute por qualquer motivo e não hesita em expor suas opiniões, mesmo que não sejam amigáveis. É um cliente chato, que ofende sem papas na língua.

Você precisa ter jogo de cintura com esse cliente. Não discuta, deixe-o desabafar, não use o mesmo tom de voz que ele e mostre interesse no que ele diz, ouvindo-o com atenção. Seja paciente e tolerante, evite debates e atritos, direcione-o para o bom senso e use suas próprias ideias para convencê-lo. Procure criar um clima amistoso e mantenha-se tranquilo e cortês para não perder a venda, a calma e as estribeiras.

## CLIENTE BRINCALHÃO

### "É PAVÊ OU PRA COMER?"

Este é um cliente bem "liso", com quem se deve tomar cuidado. Às vezes ele brinca, "tira uma com a sua cara" e foge. Ele é gozador, simpático, aprecia uma conversa agradável e é mestre em desviar a atenção do seu principal interesse. A venda dele é uma faca de dois gumes: parece uma venda tranquila, mas não é.

Ele é um cliente "sem frescura", mas o vendedor precisa saber levá-lo. Sua apresentação deve ser clara, objetiva e com detalhes, e você não pode deixar o assunto de venda escapar dentro do bom humor. Se a conversa derrapar, procure fazê-la retornar ao assunto "vendas", mas seja simples, simpático e bem-humorado sempre.

CLIENTE *EXPERT*

## "EU ESTUDEI EM HARVARD." "ESTE PRODUTO AQUI, Ó, FOI CRIADO EM 1945!"

Este é um dos clientes com os quais se deve tomar mais cuidado. Ele sabe o que quer (ou, às vezes, pensa que sabe). É conhecedor do produto e tem muita confiança em si mesmo. Dificilmente é influenciado por quem não possui técnica e não gosta de argumentos fracos.

Para atendê-lo, apresente fatos concretos. Esse cliente adora que reconheçam seu conhecimento. Use a razão, o juízo, o critério, o bom senso e a lógica. Demonstre domínio sem irritá-lo e/ou feri-lo. Procure deixá-lo à vontade e faça-o sentir que é o primeiro a receber informações. Seja firme, apresente fatos (e não opiniões) e não esconda dados, mesmo que eles não sejam bons.

CLIENTE ESNOBE

## "ESSE SEU 'PRODUTINHO' DÁ 'PRO GASTO', NÉ..."

O cliente esnobe tem um jeito todo peculiar de ser. Ele é vaidoso, procura desprezar a oferta e é o famoso sabe-tudo. Dotado de autoestima exacerbada, quer e precisa dominar. Deseja o poder, pressiona o vendedor com objeções fúteis, pode ser chantagista e não aceita opiniões alheias.

Mas não é difícil lidar com ele se você dominar a técnica. Simplesmente não o tema, não o evite e não o menospreze. Seja rápido e objetivo e dê-lhe sempre a impressão de que a decisão partiu dele. Dê-lhe prestígio sem ser bajulador e use suas ideias para eliminar suas objeções. Apresente sugestões e não conclusões, sempre dando valor às suas vaidades.

## CLIENTE QUE SÓ SE INTERESSA PELO PREÇO

## "SE NÃO FOR BARATO EU NEM COMPRO."
## "FULANO FAZ POR TANTO PRA MIM."

Este é um cliente que não está disposto a conhecer benefícios ou qualidades antes de saber preços. Geralmente é bem controlado, não quer gastar e pechincha até o último fio de cabelo. Quer obter vantagens financeiras e é o primeiro a pedir brindes, descontos, regalias e presentes.

Para atendê-lo com presteza, dê o preço com sinceridade e firmeza. Não ofereça os benefícios de cara nem utilize sua margem totalmente quando ele vier pedir desconto. Cuidado com os números quebrados, pois ele sempre vai pedir para arredondar, e muitas vezes para baixo. Ele tem grandes chances de comprar, mas é extremamente chorão, pode ameaçar ir a outro lugar e falará que em tal lugar o mesmo item custa bem menos. Mantenha a calma e faça uma boa venda, pois os chorões costumam ser bons pagadores.

## TÉCNICAS — PARTE 4: "CONHECIMENTO"

Mais importante do que ter o conhecimento é saber como e quando transmiti-lo durante o atendimento. Dessa forma, o cliente não terá dúvidas em fechar negócio com você.

Conheça a seguir técnicas que mostram para o cliente que você é um vendedor preparado para orientá-lo a adquirir o produto ou serviço adequado à necessidade dele.

# VOCÊ CONHECE BEM A EMPRESA EM QUE TRABALHA?

## O CONHECIMENTO SEMPRE DÁ ASAS A NOVAS OPORTUNIDADES.

Você precisa, sem dúvida alguma, vender a empresa que representa. Por isso, deve avaliar diversos aspectos sobre a corporação. Mostre conhecer a empresa e seus produtos e transmitirá confiança ao cliente.

Para efetivamente conhecê-la, você deve se fazer algumas perguntas. Veja a seguir:

- Quais são os pontos fortes da empresa em que trabalho e o que pode melhorar?
- Quais são as vantagens e as desvantagens dos nossos produtos/serviços?
- Quem são os nossos clientes e não clientes?
- Qual é o volume de negócios por tipo de serviço e/ou produtos?
- Qual é a tendência?
- Quais são os sistemas de comercialização?

Para responder a essas perguntas, cada empresa terá a sua forma, e é importante se informar sobre cada detalhe. O vendedor que conhece a empresa tem altas possibilidades de se destacar, pois ele transmite esse conhecimento a quem compra.

# MISSÃO, VISÃO E VALORES

## OS PILARES DA ORGANIZAÇÃO.

Missão, visão e valores fazem parte do chamado "Planejamento estratégico", que são os pilares de sustentação da ideia sobre a qual funciona a empresa. Não ter missão, visão e valores é quase como sair de casa sem saber para onde ir.

× MISSÃO: é a vocação da empresa, a razão de ela existir.

× VISÃO: aonde a empresa quer chegar.

× VALORES: os princípios éticos e morais da empresa.

# CONHECIMENTO DO MERCADO E DOS PRODUTOS

## COM QUEM VOCÊ ESTÁ LIDANDO?

Em uma situação de vendas, estão presentes os elementos Vendedor, Cliente, Produto/Serviço e Mercado. O profissional precisa ter domínio sobre cada um deles, sabendo como ele, vendedor, se comporta; qual é o seu cliente, o que ele busca e quais preferências tem; qual produto/serviço é indicado para cada tipo de comprador e quem está no mercado vendendo as mesmas coisas. A partir desse momento é que se consegue aplicar as técnicas adequadas, por estar pisando em território conhecido, com total domínio.

Veja o que é preciso considerar em relação ao mercado:

× principais concorrentes, seus pontos fortes e fracos, e concorrentes potenciais;

× imagem da empresa perante o mercado e os clientes;

× segmento de mercado que a empresa está atendendo com menos eficiência (e por quê);

× razões que levam os clientes a procurar seus serviços e produtos;

× tendências sociais, políticas, econômicas, etc. que exercem ou poderão exercer influência sobre o mercado.

Em relação à satisfação do cliente, veja o que você pode fazer para melhorar seu conhecimento:

× identificar e relacionar todos os produtos disponíveis;

- verificar todos os benefícios, as características e as vantagens de cada produto e suas formas de comercialização;
- fazer um resumo para cada tipo de produto;
- certificar-se sobre as condições de comercialização adequadas ao seu cliente.

# QUANTO VALE O QUE ESTÁ VENDENDO?

## PREÇO É UMA COISA. VALOR É OUTRA.

Quanto vale o que você está vendendo? Vale o preço que está sendo cobrado? O preço de um produto ou serviço é definido por uma série de motivos. E quem será o responsável por fazer o cliente sentir que vale ou não o preço que está sendo cobrado? Isso mesmo, você! Mas você está fazendo com que esse produto valha o que está sendo cobrado? Ou, quando vai falar o preço, a pessoa olha para você e fala: "Nossa, que caro!"?

O que tem de ser feito é sempre surpreender cada cliente.

Como?

Simples, apenas agregando o máximo de valor que puder ao produto. Assim, você fará o cliente ter a impressão de que o preço é muito mais alto. Quando falar, o cliente terá uma grata surpresa.

Mas, se você apresentar por apresentar, surpreenderá seu cliente negativamente, pois a expectativa dele será a de um preço muito mais baixo do que aquele que você informará.

Se o cliente achar o produto ou serviço caro e você não fizer nada, poderá perder uma venda. Por isso é que sempre falamos em valor agregado. Uma das coisas que podem ser feitas é mostrar ao cliente quanto ele economizará/poupará usando aquele produto ou serviço em comparação a comprar individualmente outros quaisquer. Mostre que aquilo que você está comercializando é a última palavra dentro do que ele procura, para que ele pague com gosto e ainda recomende a outras pessoas.

# FALAR SOBRE AS CARACTERÍSTICAS DO CLIENTE

## CARICATURA VERBAL: AS PESSOAS GOSTAM DE SER DESCRITAS.

As pessoas ficam mais seguras e abertas a ouvir e a comprar de pessoas que demonstraram conhecer suas características. Antes de apresentar o primeiro produto ou serviço, fale sobre as características da pessoa que está sendo atendida, com as informações obtidas na sondagem.

Ao fazer isso, o cliente vai pensar: "Esse vendedor realmente me conhece e por isso saberá exatamente o que me apresentar". Uma coisa é você pensar; outra é pensar e falar para que a pessoa tenha certeza de que você a conhece. Lembre-se: ela não lê pensamentos. Mas cuidado para não falar coisas impróprias e íntimas, que possam causar algum desconforto.

A "caricatura verbal" deve ser feita com um sorriso no rosto, de maneira bem descontraída. Se o cliente for mais sério, abuse da sobriedade. Se ele for mais brincalhão ou despojado, você tem liberdade para ser mais *light*, sempre respeitando os limites. Quanto mais você demonstrar conhecimento sobre a pessoa, mais ela sentirá confiança e maiores serão as chances de o negócio ser concretizado.

# COMO APRESENTAR UM PRODUTO OU SERVIÇO

## A APRESENTAÇÃO CRIA UMA NOVA OPORTUNIDADE.

Alguns vendedores chegam e falam: "Tenho essa opção, essa outra e essa aqui". E ficam olhando para a sua cara, esperando você se decidir. Não colocam o mínimo de vida no que estão apresentando.

Outros falam: "O que temos está aí desse lado e deste".

Se for para atender dessa forma, é melhor colocar os produtos ou serviços em máquinas com informações disponíveis aos clientes, para que eles os escolham sozinhos e façam o pagamento direto no equipamento, como acontece com refrigerantes e doces.

Você está lá para dar vida a cada produto ou serviço que apresentar; para fazer o cliente sentir os resultados do que está conhecendo; para ter uma experiência tão prazerosa durante a apresentação daquele produto ou serviço que ele não se imagine mais sem aquilo.

As pessoas começam a ser atendidas por você, e elas estão em um campo físico, ou seja, dentro de seu estabelecimento comercial, ou na casa delas, ou na rua... Mas, quando você começar a falar sobre o produto ou serviço, você deve ter a habilidade de tirar essa pessoa mentalmente do local físico em que está e levá-la para outro lugar, fazendo-a sentir os resultados.

Ela pode ser levada mentalmente ao ambiente de trabalho, a um *happy hour*, um jantar, ou seja, às situações que ela apontou no momento da sondagem. E você deve acrescentar alguns lugares onde ela gostaria de estar (você teve a sensibilidade de perceber isso durante o bate-papo).

Sempre começamos falando sobre o problema. Depois, apresentamos a solução. E, então, explicamos os detalhes que contribuirão para essa solução.

Por exemplo: se, em uma loja de perfumes, você descobrir na sondagem que a pessoa gosta de fragrâncias mais refrescantes e pretende usá-las no dia a dia, no ambiente profissional, veja um exemplo do que dizer: "O.K., COMO VOCÊ TRABALHA EM UM AMBIENTE FECHADO, COM MUITAS PESSOAS, VOU APRESENTAR UMA FRAGRÂNCIA QUE NÃO VAI INCOMODAR AS PESSOAS PRÓXIMAS, POR SER MAIS LEVE E REFRESCANTE".

Acompanhe, abaixo, o porquê de cada frase.

× "O.K.,": este início mostra que você entendeu a solicitação da pessoa.

× "COMO VOCÊ TRABALHA EM UM AMBIENTE FECHADO, COM MUITAS PESSOAS,": esta é a situação problema.

× "VOU APRESENTAR UMA FRAGRÂNCIA QUE NÃO VAI INCOMODAR AS PESSOAS PRÓXIMAS,": aqui está a solução.

× "POR SER MAIS LEVE E REFRESCANTE.": estes são os detalhes que contribuirão para a solução.

Levar a pessoa mentalmente não é apenas falar sobre o que ela pode usar no escritório, e sim fazer um *tour* para que ela se veja usando a fragrância enquanto estiver trabalhando, com detalhes e descrição para tornar a experiência mais viva.

Sempre que for apresentar, não diga para o cliente qual é o produto ou serviço; primeiro, leve-o mentalmente para as situações. Em seguida, demonstre o produto ou serviço, enriquecendo a vivência mental com sensações reais, tornando-as mais vivas e memoráveis. Isso fará o cliente criar uma expectativa positiva, aumentando as chances de se interessar em comprar.

Pessoas não compram produtos e serviços; pessoas compram as experiências e os resultados que conseguirão por terem comprado aquele produto ou serviço. Certamente alguma amiga já chegou para você e disse: "Amiga, passei em frente a uma loja e vi um sapato que tem tudo a ver com você, porque ele tem uns detalhes assim e assim...".

Qual foi sua vontade? No mínimo conhecer, correto?

E ela falou com você sem estar com o produto em mãos. Mas perceba como ela usou olhar, voz audível, empolgação, coração, gesticulação e outros requisitos para convencê-la a conhecer o produto.

Esse mesmo sentimento que você teve enquanto sua amiga falava é exatamente o sentimento que você deve provocar em seu cliente para que ele tenha vontade de comprar de você. Todos esses requisitos que sua amiga aplicou para convencê-la são os que você deve usar para fazer suas apresentações, adaptadas a cada cliente.

TRABALHAR CADA PRODUTO OU SERVIÇO

## A FORMA COMO VOCÊ APRESENTA TORNA O ITEM MAIS CARO OU MAIS BARATO AOS OLHOS DO CLIENTE.

Você já foi atendido por alguém que começou a apresentar um produto ou serviço atrás do outro? Você deve ter ficado confuso, como a maioria das pessoas. A ânsia de querer agradar ao cliente é tão grande que o medo de não conseguir mobiliza o vendedor a mostrar tudo o que tem, sem freios. O cliente mal conseguiu digerir o primeiro produto ou serviço, você já está apresentando o terceiro, o sétimo, o décimo...

Ter sensibilidade para saber a hora certa de migrar de um para outro é uma coisa; entupir o cliente de informações que o deixarão confuso é outra totalmente diferente.

É como o caso de uma pessoa que vai a um restaurante *self-service*, serve-se, senta-se à mesa e não consegue prestar atenção no que está comendo. Só consegue olhar para o *buffet*, atento a cada prato que chega. Mal degusta e não consegue sentir o gostinho dos alimentos. Levanta repetidas vezes para buscar novos pratos.

Então, pare imediatamente, caso você seja um vendedor que entope o cliente de informações com apresentações desenfreadas de produtos e serviços. Não apresente cada produto ou serviço por apresentar. Se você se propôs a mostrar algo, vá fundo na explanação que iniciou, trabalhe cada detalhe e cada informação pertinentes, e só vá para o próximo quando:

- perceber que o cliente não gostou do produto ou o considerou fora do orçamento;
- estiver montando um pacote de produtos ou serviços ligados um ao outro;
- o cliente pedir para ver mais opções;
- a apresentação tiver migrado para uma venda adicional (quando o primeiro item apresentado estiver vendido);
- você tiver certeza de que quer dar mais opções ao cliente, para que ele verifique as diferenças entre um e outro – mas que sejam de três a cinco opções, não mais do que isso. Um exemplo para esse item é a venda de artigos de maquiagem: você oferece e mostra todos os produtos, para que a cliente faça uma maquiagem completa em seu rosto. Não esquecendo que, mesmo nesse caso de apresentar vários itens, não deve passar de um item para outro antes de fazer uma bela apresentação.

ENSINAR O CLIENTE

## O BÊ-Á-BÁ DA VENDA.
## SEJA LEMBRADO PELA SUA
## LIÇÃO INDIVIDUAL.

Enquanto estiver atendendo, ensine seu cliente, compartilhando alguma curiosidade que você sabe e que a maioria das pessoas gostaria de saber e colocar em prática. Pode ser a informação mais simples, mas que faça ele olhar surpreso para você e dizer que não imaginava.

Além de causar uma boa impressão no atendimento, você demonstrou que não é um simples profissional, mas uma pessoa que se preocupa em informar e orientar seus clientes.

Toda vez que ele colocar em prática o que você disse, ele se lembrará de você. As pessoas normalmente gostam de contar para os amigos o que aprenderam, e com isso multiplicarão sua informação. Quando aquele consumidor pensar em comprar algo em seu segmento, quem será que ele vai procurar?

Se for possível, quando ensinar algo para o cliente, procure ir demonstrando junto, diretamente no produto e, se for serviço, fazendo com que ele visualize. Ficará mais fácil para quando ele for aplicar o que aprendeu e reterá mais a atenção durante o atendimento.

NÃO LEVAR PARA O GOSTO PESSOAL

## O CLIENTE TEM QUE GOSTAR. VOCÊ TEM QUE VENDER.

Às vezes, deparo com vendedores que olham para o cliente e falam: "Esse é o meu preferido. Se eu fosse você, levaria esse".

Jamais indicamos algo pelo nosso gosto pessoal, pois o que é bom para você nem sempre é bom para o outro. Tudo isso se deve às necessidades de cada um, à sua realidade, etc.

Assim, em vez de dizer que prefere esse ou outro, afirme que determinado produto ou serviço é o mais indicado para o que a pessoa busca, e não por ser o seu preferido.

"Tá, Mohamed, e se a pessoa perguntar qual eu prefiro?". Aí você fala qual é o seu predileto, se fosse para você, e enumera os motivos, mas diz que para a pessoa o mais indicado (ou os mais indicados) é aquele e os motivos disso. Se o seu preferido se encaixa no que a pessoa está procurando, você informa que seu preferido é X e o porquê, fazendo a pessoa enxergar que são os mesmos motivos pelos quais ela procura determinado produto ou serviço.

O que o vendedor oferece, dentro das suas tarefas, é um serviço de consultoria ao cliente. Se for preciso, ele forma a opinião, mas não dá a sua. Se a opinião for dada e, após a compra, o cliente se frustrar, ele colocará a culpa no vendedor. Portanto, quem precisa gostar é ele. Você precisa apenas trabalhar a forma para que ele se sinta satisfeito com a própria descoberta.

# "ACHO QUE VOCÊ VAI GOSTAR"

## FAÇA COM QUE ELE GOSTE. NÃO ACHE NADA! QUEM ESTÁ PROCURANDO É ELE E NÃO VOCÊ.

Jamais apresente um produto ou serviço e diga ao cliente que você acha que ele vai gostar. Dessa forma, você o induzirá a ter dúvidas. Apenas use a palavra "acho" quando for apresentar uma proposta totalmente diferente do gosto dele. E quando o produto ou serviço for para presente, elimine o "acho" mais ainda. Utilize as técnicas para presente que apresentamos aqui no livro, sem manifestar sua opinião.

Quando digo que o vendedor precisa, nos dias atuais, ser um "consultor de vendas", isso significa que ele deve mostrar o melhor caminho para quem procura o que comprar. Se o cliente comprar porque você disse que "acha bom" e se arrepender depois, vai colocar toda a culpa em você. Então, seja discreto e não "ache". Apenas demonstre tudo o que pode oferecer, explique a que público se aplica cada mercadoria e deixe a escolha por conta do cliente. Se você conseguiu, durante o atendimento, sentir qual é o gosto da pessoa e está certo de que o que você apresentou será do agrado dela, troque o "acho" por uma expressão bem melhor: "Tenho certeza de que vai você gostar".

## CLIENTE QUE PROCURA PRODUTO OU SERVIÇO PARA PRESENTE

### "VAI COMPRAR PARA ELE? COMPRE PARA VOCÊ TAMBÉM!"

As pessoas geralmente ficam inseguras ao presentear pelo simples fato de terem medo de não acertar no presente. Pior é quando o vendedor, em vez de ajudar, cria ainda mais dúvidas, deixando o cliente com mais medo.

Algumas atitudes simples podem diminuir a insegurança do cliente, fazendo ele dizer "Sim" para você.

Quando o cliente chega para você e diz que tem de presentear uma pessoa, não vá apresentando algo logo de cara. Isso fará o consumidor sentir que você só está querendo vender, sem qualquer preocupação com o fato de ele acertar o presente.

A sondagem correta é fundamental para demonstrar ao cliente que você é um especialista no assunto e vai orientá-lo a escolher um item ou serviço que agradará à pessoa a ser presenteada. Isso fará o cliente substituir o sentimento de medo pelo de segurança. Descubra se é um presente masculino ou feminino, quantos anos a pessoa tem aproximadamente, em que ocasiões usará aquele item, entre outras perguntas que considerar necessárias. Conforme a pessoa for respondendo, responda com eco tudo o que ela disser.

Acompanhe abaixo um exemplo.

Vendedor: "QUANTOS ANOS A PESSOA TEM MAIS OU MENOS?".

Cliente: "ELA TEM 25 ANOS".

Vendedor: "CERTO, ENTÃO É UMA PESSOA JOVEM".

E daí por diante.

O eco faz o consumidor olhar para você e vê-lo "descrevendo" a pessoa a ser presenteada. Ao ver isso, ele pensa: "Que bom que é esse vendedor. Mesmo sem o fulano estar aqui, ele fez a descrição correta e saberá me indicar a melhor opção para que eu acerte no presente".

Após a sondagem, vá para a demonstração utilizando a técnica "Como apresentar um produto ou serviço" (página 151). Em nenhum momento diga que você acha que a pessoa vai gostar. Falando dessa maneira, você destruirá toda a confiança adquirida, colocando novamente dúvidas na mente do cliente.

CLIENTE INFLUENCIADO PELO AMIGO
QUE CRITICA TODOS OS PRODUTOS
OU SERVIÇOS (OU SERVIÇOS "DE QUE
ELE NÃO GOSTA")

A FAMOSA SOMBRA QUE ATRAPALHA.

Muitas pessoas adoram dar palpites na vida alheia, querendo manipular as ações da outra, achando que os conselhos que oferece, mesmo sem a pessoa pedir, são a única verdade que existe e o melhor caminho a seguir. Elas acham que sabem tudo que é melhor para aquela pessoa.

Quando o vendedor está atendendo algum cliente acompanhado por um amigo, primo, colega, irmão, não poderia ser diferente. Muitas vezes, esses conselhos acabam não só prejudicando seu atendimento como também confundindo a cabeça da pessoa que está disposta a comprar, a qual acaba indo embora sem levar nada, ou trocando o que iria comprar por outro item que talvez nem venha a usufruir, e tudo por influência do amigo ou parente.

Essa pessoa influenciadora geralmente diz: "Não gostei..." ou "Não tem nada a ver com você...", entre outros comentários.

Para anular os efeitos negativos da pessoa que está tentando manipular, é preciso falar menos e demonstrar mais, da seguinte forma: geralmente, quando essa pessoa está criticando tudo que desperta a atenção do cliente, podem existir alguns motivos que talvez não saibamos, mas o principal é muito simples e claro – é porque ela tem o gosto contrário ao da pessoa que deseja comprar.

O que você tem de fazer é manter a simpatia e o rosto aberto, perguntar seu nome e o que a pessoa costuma adquirir. Se, por exemplo, ela gostar de camisas claras e estampadas e o amigo que está querendo comprar gostar de camisas lisas e de tom escuro, não diga nada, apenas pegue uma camisa estampada dentro das características informadas e pergunte o que a pessoa acha.

A resposta será positiva.

Em seguida, você pergunta para o cliente o que ele acha.

A resposta será negativa.

Nesse momento entra o seu papel de consultor-vendedor: você sutilmente informará que todos os meses são lançados vários tons de camisa, um diferente do outro, para agradar a todos os perfis de clientes. Então, você pega uma camisa totalmente fora do gosto do cliente e do amigo e pergunta: "Estão vendo essa camisa? O que vocês acharam?".

Os dois responderão que não gostaram.

Você, então, diz: "Estão vendo, essa camisa foi feita para um outro perfil de cliente, tanto é que nenhum de vocês gostou". Fale de forma descontraída, leve.

Após isso, o amigo que estava atrapalhando se conscientizará e não dificultará mais o atendimento, e você ainda poderá vender para ele também.

CLIENTE QUE PROCURA PRODUTO
OU SERVIÇO EM FALTA

## CLIENTE QUE QUER COMPRAR DOIS QUILOS DE LINGUIÇA NA FARMÁCIA.

É impressionante como os vendedores estão cada vez mais trabalhando "no automático" e não tentam fazer algo a mais por terem recebido influências negativas de algumas pessoas, deixando de buscar soluções ou testar outras formas. Geralmente acham que tentar não vale a pena ou desistem de tentar por não terem obtido êxito no passado.

Veja abaixo as abordagens mais frequentes.

Cliente: "VOCÊ TEM ESTE PRODUTO?".

Vendedor: "NÃO!".

Cliente: "OBRIGADO".

Vendedor: "DE NADA".

Cliente: "VOCÊ TEM ESTE PRODUTO?".

Vendedor: "NÃO!".

Cliente: "OBRIGADO".

Vendedor: "SÓ ESSE? POSSO TE MOSTRAR OUTRO?".

Cliente: "SÓ ESSE MESMO, OBRIGADO".

Vendedor: "DE NADA".

Há também a situação em que o vendedor critica a própria empresa, afirmando que falta isso, falta aquilo, pois só conseguem vender o que os clientes mais pedem e ficam reféns disso.

Quando nós somos os clientes, sabemos quanto é ruim chegar a um estabelecimento e logo de cara receber um "Não temos". A situação é ainda mais frustrante quando essa frase é dita diversas vezes. Dá vontade de nunca mais pisar naquela loja.

É por essa razão que devemos usar a técnica certa e procurar vender algo que temos. A frustração do cliente será revertida para a alegria de ter conseguido comprar alguma coisa que lhe seja útil/prazerosa.

Quando uma pessoa procura determinado produto ou serviço, em algum momento houve um primeiro contato que a fez se interessar. Ele pode ter acontecido por indicação, por apenas ter ouvido falar, pela imprensa ou por uma compra anterior (se já havia comprado e quer repetir). Tudo isso não importa. O que temos de entender é que a pessoa não saiu da barriga da mãe com o que procura e que em algum momento da vida alguém conseguiu apresentar algo a ela de alguma forma e ela acabou se interessando. Isso quer dizer que, mesmo que o foco da pessoa seja outro, existe uma chance de ela comprar o que vendemos. Isso não quer dizer que ela desistirá do item que está procurando. Ela vai agregar o que você tem à lista de compras.

O primeiro passo para ter sucesso em uma situação como essa é mostrar ao cliente conhecimento sobre o público que usa determinado produto ou serviço, informando sobre as características desse conjunto de pessoas, para que ele se identifique com o grupo.

A seguir, você deve informar que não há o produto ou serviço disponível, mas que as pessoas que o utilizam também são consumidoras do artigo B. (É importante falar novamente as características do público que usa esse produto sem falar que produto ou serviço é.)

Feito isso, pegue o produto ou comece a falar sobre o serviço, sem perguntar se pode mostrá-lo ou não. Tudo isso deve ser aplicado de uma forma muito ágil. O foco principal das pessoas não é procurar algo parecido ou similar, então qualquer item semelhante está em segundo plano. Mas, se o público do produto ou serviço procurado também utiliza esse que você está propondo, a pessoa no mínimo vai se interessar em conhecê-lo.

# TÉCNICAS – PARTE 5: "VENDA"

Você já conheceu mais a fundo as técnicas de quatro importantes aspectos do atendimento: personalidade agradável, servir, confiança e conhecimento.

Para receber mais "Sim" e menos "Não", é hora de concluir a venda, afinal, você e sua empresa sobrevivem dos fechamentos das vendas que efetuam.

Nas próximas páginas serão explicados alguns detalhes que geralmente passam despercebidos. Conheça as técnicas que podem fazer a diferença entre uma venda simples, nenhuma venda ou, simplesmente, sua melhor venda do ano.

## COMO PEGAR E MANUSEAR O PRODUTO PARA AGREGAR VALOR

### "OLHA QUE BONITO!"

Antes se acreditava que o melhor vendedor era aquele que falava pelos cotovelos e aturdia o cliente. Alguns ainda acreditam nisso e continuam agindo como tal. Quando falamos, nos expressamos verbal e não verbalmente. Mas existe uma forma de comunicação importantíssima que seu cliente pode não comentar, mas que ele sente: é a forma como manuseamos os produtos quando vamos apresentá-los.

Independentemente de manusear um produto que custe 1 real ou 1 milhão, faça-o da mesma maneira, com movimentos leves e delicados, para que o cliente sinta que há alguma coisa de especial nele. Com essa atitude, você agrega valor.

Não seja bruto ao manusear, pois o cliente pode ter a impressão de que você traz os artigos da loja de qualquer jeito. Ele poderá pensar: "Para que vou pagar esse preço em algo sem delicadeza nenhuma? Está caro demais!". Valorize pequenos detalhes, como acabamento, características, diferenciação de outros produtos e sutileza. O produto pode ser um simples parafuso de torneira, mas ele pode se tornar bem mais vendável caso seja bem apresentado.

## OFERECER OS PRODUTOS DO MAIOR PARA O MENOR

### COMECE PELO ALTO E SURPREENDA.

Quando aprendemos a contar, sempre começamos do 1 ao 10. No entanto, entre esses números, o 10 sempre nos enche os olhos. Lembra-se da nota 10 na escola? Números altos sempre representam aqueles que buscam mais.

A técnica de começar sempre pelo item mais caro impede que você menospreze o cliente. Ele tem uma linha toda para escolher. Quando você mostra os serviços ou produtos de maior preço primeiro, dá a ele a preferência de optar pelo mais completo, o mais requintado, o maior. Ele não precisa se contentar com a versão básica, que é o que ele poderá fazer se esta for apresentada primeiro.

É comum existir a subdivisão – nem que seja mental – entre o item básico (1), o intermediário (2) e o *top* de linha (3). Você vai perceber que, aplicando esta técnica, venderá muito mais os itens intermediários e *top*, que geralmente sobram mais nos estoques por um erro do vendedor.

Além dos itens corriqueiros, isso também serve para bens duráveis: a mesma plataforma de um carro pode ser oferecida na versão de entrada, na intermediária e na completa. A básica, como se diz por aí, não tem nada. A *top* tem ar-condicionado, vidros e travas elétricas, outros itens de conforto. Seu cliente merece tudo isso? Então venda para ele e o faça feliz! Vá explicando, item por item, por que vale a pena desembolsar um pouco mais por itens que, se ele fosse instalar depois, sairiam bem mais custosos.

Quando falamos em crescente e decrescente, há ainda um outro caso a considerar: o tamanho das embalagens. Um produto ou serviço não precisa necessariamente ser melhor que o outro para ser mais caro, mas pode estar em uma embalagem maior. Aí entra o seu tino em saber vender e, ao mesmo tempo, em agradar ao cliente com o conteúdo.

Como?

Você verá nos exemplos abaixo.

Exemplo 1: você vai ao supermercado e precisa comprar refrigerante. Há uma garrafa de 1 litro pelo preço X e uma de 2 litros pelo preço X e meio. Por que você vai comprar duas garrafas de 1 litro e pagar 2X se você pode economizar?

Exemplo 2: o cliente está acostumado a comprar um vidro de perfume de 50 ml. Você tem o de 100 ml, que ele nem olha porque acha grande demais. A lógica dos preços deles é parecida com a dos refrigerantes do exemplo anterior. Por que você deixará o seu cliente pagar mais em dois frascos? Ou correr o risco de comprar um só e não voltar mais à loja? Mostre que ele fará economia, dando exemplos práticos, mostrando os frascos e fazendo a conta. Quando você "mexe no bolso", ele se convence.

## COMO FALAR OS PREÇOS

### "MEU PRODUTO É BOM. BACANA, NÉ? PODE SER SEU!"

Falar o preço é algo que jamais deve ser feito no início do atendimento. Se o cliente vem, pega o produto, pergunta quanto custa e paga, o que acontece é uma compra e não uma venda. Os preços sempre devem ser dados de preferência no final da demonstração, após o cliente estar encantado e achar que o preço está muito acima do que você vai falar.

Quando disser o preço de um produto, sempre diga com ele em suas mãos e voltado para os olhos do cliente. Sempre que possível, coloque-o nas mãos dele, para que tenha sentimento de posse. Uma coisa é você saber o preço de uma barra de chocolate na prateleira; outra é receber o preço do chocolate com ele a 30 cm de você e olhando para seus olhos.

Se não for algo que possamos carregar em nossas mãos, esteja com ele na frente do cliente, para causar o mesmo efeito. Quando é algo impalpável, como um serviço, por exemplo, a imaginação do cliente perante ele deverá estar ainda mais visível, ou o folheto, o cartaz ou o material para apresentação do produto devem ocupar o máximo da visão do cliente.

As pessoas compram por impulso; por mais que você tenha o preço decorado, aproxime ao máximo o produto do cliente se quiser aumentar as chances de receber "Sim".

No caso de perfumes, o cliente também é capaz de sentir a fragrância em sua própria pele e se encantar, mas você deve, antes, trabalhar os sentidos de quem está comprando desde a embalagem, mostrando também outros produtos.

No caso de roupas, ele vai ao provador, se olha no espelho e se identifica, embora também seja a sua função mostrar outras peças.

Cada item tem a sua forma de encantar. Essas sensações e experiências são importantes na hora em que o preço for pago pelo cliente.

Vocês devem se lembrar de uma empresa de comércio conhecida que, nos anos 1990 e 2000, estourou de fazer propagandas extensas de seus produtos na televisão. Eram aparelhos de ginástica, processadores de frutas, ceras para veículos e outras mercadorias que os atores apareciam usando, dando depoimentos a respeito e deixando claro quanto eram ferramentas práticas e indispensáveis. No final do vídeo, era apresentada uma série de brindes – muitos deles sem muita utilidade – que viriam juntos da compra. Mais ainda, o locutor anunciava que, se você fosse um dos X primeiros a comprar, levaria mais tal coisa. Só no fim de tudo vinha o preço, muitas vezes alto, porque todos os brindes estavam embutidos no montante, embora oferecidos como presente. E os espectadores compravam mesmo assim, porque a apresentação – tosca, mas bem-feita – dizia que aquilo era a oitava maravilha do mundo.

Preço, então, é algo que se constrói. Nunca diga o preço de nada sem mostrar o produto, pois será mais difícil convencer o cliente sobre algo que ele não viu, sentiu ou tocou.

## COMO INFORMAR OS DESCONTOS E AS FORMAS DE PAGAMENTO

**SE O CLIENTE ESTÁ SATISFEITO, O DESCONTO É DETALHE. ELE COMPRA DOIS PRODUTOS OU SERVIÇOS, PAGA OS DOIS COM SATISFAÇÃO AO VER QUE VALEU MAIS A PENA DO QUE LEVAR UM SÓ, E SAI SORRINDO.**

É muito ruim quando um vendedor informa um preço falando "Custa X, mas tem desconto", ou "Custa Y, mas dá para parcelar, tá?". O medo de perder a venda é tão grande que logo apresenta as condições de pagamento antes mesmo de o cliente perguntar. Se houver um desconto ou uma forma de parcelamento diferenciada, espere até o final para dizer. Guarde para aquele momento em que está difícil convencer o cliente a levar e você quer demonstrar que facilitará para ele colaborando com a forma de pagamento. Não se esqueça de agregar valor ao desconto. Ao desconto? Sim, valorizar o máximo possível o desconto que dará antes de falar quanto de desconto será.

O brasileiro gosta de pechinchar. Se ele está prestes a comprar algo, esse desejo de obter vantagens aumenta. Assim, desconto é uma palavra que sempre atrai o consumidor. Você pode ver: toda vez que alguma loja divulga uma ação com os nomes de "Saldão", "Liquidação", "Promoção", "Queima de Estoque" e *Black Friday*, entre outros, o local fica lotado de gente à procura de mercadorias, mesmo que não precisem delas. Então, o desconto é algo importante se for bem aplicado. E você pode estar no meio de uma "promoção" sem divulgar que ela existe. Trabalhe o cliente para que ele escolha no estabelecimento tudo de que precisa. Na hora em que ele for fechar o pedido, anuncie os benefícios. Você ganhou uma venda, um cliente e o dia.

## TÉCNICA DA CALCULADORA

### MATEMÁTICA NELES!

Uma compra que cabe no bolso muitas vezes é mais interessante do que um produto ou serviço somente visto como barato. Quando necessário, surpreenda o cliente apresentando o valor da parcela – quando falar de parcelamento, não diga em quantas parcelas fará, mas já apresente quanto sairá cada uma.

Fale no número de parcelas só depois que apresentar seu valor ou quando o cliente solicitar. Grande parte das pessoas geralmente compra pensando em quanto gastará por mês. Para surpreender o cliente ainda mais, pegue a parcela mensal e divida por 30, para mostrar quanto todos os produtos de que ele gostou custarão/ficarão por dia.

Dentre os apetrechos de venda, não é raro encontrarmos a calculadora como um dos principais itens. Quando o vendedor a usa, ele geralmente surpreende o cliente, mostrando que é possível pagar sua compra com facilidade.

Atualmente, a procura por itens baratos tem sido substituída pela busca por mercadorias que possam ser parceladas suavemente. Lojas de automóveis e de eletrodomésticos já aderiram à utilização da parcela como chamariz. Afixados nos produtos, os cartazes trazem em números grandes o valor da parcela mensal e, abaixo, bem pequeno, o valor inteiro. As redes de lojas de bens duráveis que mais têm crescido são aquelas que facilitam o pagamento, independentemente de a concorrência praticar ou não preços menores.

Portanto, procure ter sempre uma calculadora à mão: ela será sua grande aliada na hora de fechar um negócio.

COMO VENDER MAIS USANDO
MATERIAL PROMOCIONAL

## A PROMOÇÃO QUE PROMOVE VOCÊ!

Às vezes, você tem um brinde para oferecer ao seu cliente na compra de determinado produto ou serviço. O maior erro que vejo as equipes de vendas cometerem é perder a oportunidade de usar esse brinde para conseguir fechar uma venda mais difícil ou para vender itens e serviços adicionais.

O erro está em dizer precocemente ao cliente que, se ele comprar o que está sendo apresentado, ganhará um brinde X. Pronto, quando o cliente recebe essa informação, você jogou fora uma ferramenta que teria na manga para usar apenas no final do atendimento, ajudando o cliente a se decidir.

Clientes gostam sempre de ter a sensação de que estão levando vantagem em alguma coisa. Eles chegam até a contar para os amigos quando conseguem ou acham que conseguiram isso, de tão felizes que ficam. Então, sempre que possível, guarde essa informação a sete chaves. Quando perceber que já fez de tudo e mesmo assim o cliente não fez a compra, esse é o momento para entrar em ação.

Atente-se a um detalhe: antes de oferecer o brinde, pergunte ao cliente se realmente gostou do que está apresentando. Tendo a resposta positiva, diga a ele que, por ter gostado e pelo seu desejo de torná-lo um cliente fiel, você vai presenteá--lo. Não se esqueça de mostrar que se preocupou em saber se ele gostou (para então apresentar a vantagem), de tecer palavras elogiosas (para que ele se sinta valorizado e único) e de falar que é muito difícil haver algum brinde (para que na próxima vez ele não queira exigir novamente algo a mais).

Todo brinde sempre será bem-vindo e constitui um dos principais fatores para que o consumidor se lembre de determinada loja e de você. Em alguns casos, ele falará para os outros mais do brinde que do produto comprado.

# EVITAR PERGUNTAS NEGATIVAS

## E AÍ, VENDEDOR, VOCÊ NÃO QUER PARAR COM ISSO?

Você quer que seu cliente compre de você ou não? Prestar atenção e vigiar cada palavra que dizemos é importantíssimo para que obtenhamos êxito. Cada palavra, por mais simples que pareça ser, está criando, mesmo que imperceptivelmente, as decisões que seu cliente tomará.

Evite perguntas negativas, como "Você não quer aproveitar para comprar este serviço?" ou "Você não quer comprar este produto ou serviço? Se encaixa perfeitamente na proposta que veio buscar".

Troque por frases afirmativas: "Aproveite para comprar este serviço" ou "Compre este produto ou serviço, se encaixa perfeitamente na proposta que veio buscar".

Quando você pergunta para o cliente se ele NÃO quer comprar algo, você já o está induzindo a dizer "Não, não vou comprar". Monte frases sem negatividade e preste atenção não só nas suas perguntas como também nas respostas que irá obter. Enquanto houver dúvidas, trabalhe a positividade e faça afirmações, para que o cliente sinta firmeza na apresentação.

## NÃO USAR PALAVRAS QUE TERMINAM COM "RIA"

### GOSTARIA DE APRENDER ESSA REGRA?

Embora não perceba, cada palavra dita durante o atendimento está criando uma situação, por mais simples que pareça.

Palavras com terminação "ria" não são usadas em vendas. A não ser que seu interesse seja apenas vender depois. Depois é importante, com certeza, mas que você venda primeiro agora, e o depois virá com muito prazer também.

A explicação deste tópico é a mesma das frases negativas: você está induzindo seu cliente a deixar para um futuro, uma próxima ocasião. Uma voz realmente ativa é aquela do vendedor que olha nos olhos do cliente e é direto, no tempo presente: "Vamos fazer assim?".

Alguns vendedores, quando o cliente solicita algo, perguntam: "SeRIA para você ou para presente?".

Seria?

Seria não, o correto é dizer que "É"!

Ou seja: "É para você ou para presente?".

Outros erros: "Esse projeto seRIA para que mês?", "GostaRIA de usar em qual ocasião?".

Ora, o correto é perguntar "Esse projeto É para que mês?". E a pessoa não gostaria; ela quer. Portanto, pergunte "Você pensa em usar em qual ocasião?" ou "Você quer usar em qual ocasião?".

# VISÃO 360°

## VISÃO PANORÂMICA PARA UM VENDEDOR COMPLETO.

O mínimo que você tem de ter é atenção em tudo e em todos, principalmente nos clientes que visitam seu local de trabalho. Você precisa notar o cliente antes mesmo de ele entrar, mesmo que esteja ocupado com algo. Estar sempre atento aos quatro cantos do estabelecimento. Se estiver conversando com um colega, pare imediatamente a conversa e dirija o foco para o cliente. Qualquer outra coisa que esteja fazendo, interrompa sempre que possível para focar nele. Sempre com um olho no que você está fazendo e outro olho atento à chegada de um novo cliente, ou aos clientes que estão circulando.

CLIENTE INDECISO ENTRE ALGUNS
PRODUTOS OU SERVIÇOS

## "LEVO ESSE? OU ESSE? POR QUE NÃO AQUELE? NÃO, ESSE AÍ NÃO!"

Quando o cliente acaba gostando de mais de um produto ou serviço, o ideal é usarmos técnicas para que ele leve todos de que gostou. Uma das melhores formas é utilizar a "Técnica da calculadora" (página 176), ressaltando os benefícios que ele terá ao levar tudo. Se necessário, você também pode utilizar a técnica "Como vender mais usando material promocional" (página 177), mas, muitas vezes, o cliente diz que vai pensar melhor e que, por algum motivo, só poderá comprar um dos produtos ou serviços.

O papel do vendedor, nessa situação, é ajudar o cliente a descobrir qual é o produto de que mais gostou e o que mais se adapta às suas necessidades no momento. Para isso, dificilmente você conseguirá extrair informações fazendo uma pergunta que muitos vendedores fazem e que acaba piorando a situação do atendimento: "Qual é a sua dúvida?".

Ora, o cliente está confuso, e você entrega mais uma pergunta para ele? Pior ainda é a situação em que o cliente está em dúvida, diz que vai pensar melhor para depois voltar e o vendedor simplesmente responde "O.k.".

É nessa hora que deve entrar seu papel de consultor-vendedor: você fará o trabalho de tirar essa dúvida do cliente utilizando a eliminação.

Demonstre os produtos explicando os benefícios de cada item. Se mesmo assim o cliente continuar em dúvida, pergunte para ele qual é a situação em que usará aquele produto. Se ele disser que é para o dia a dia, comece a falar sobre os produtos de uma forma rápida e resumida, para que ele os vá eliminando em pensamento. Exemplo: "Este aqui é um produto para ser usado mais à noite, por ser um produto assim e assim... Este outro, por ser um produto assim e assim, é mais indicado para usar aos fins de semana, quando for passear com a família, e este outro aqui é um produto assim e assim, totalmente indicado para o dia a dia, ou seja, ideal para a ocasião que procura no momento. Em outra oportunidade, você volta para buscar esses outros dois, que também são maravilhosos, para usar um em cada ocasião".

Se ainda assim você não obtiver sucesso, aplique a técnica relatada no "causo" "A cliente indecisa e os quinze produtos" (página 220). De maneira firme, olhando para a pessoa, dizendo o nome dela e procurando segurar os produtos, vá mostrando-os de dois em dois, sem os denominar. Se for perfume, diga "Você vai ver como é fácil escolher uma das fragrâncias, porque eu vou ajudar". Para cada dupla de itens, encare com suavidade o cliente e diga "Fulano, sinta este", "Agora, este". "Qual lhe agradou mais? O primeiro ou o segundo?". O que ele escolher, você coloca um pouco à frente. Depois, com outra dupla de itens, repita o mesmo procedimento. Você terá, então, alguns itens à frente e alguns para trás. Elimine os que ficaram para trás e, referindo-se aos que sobraram, pergunte novamente, com firmeza: "Sinta de novo este", "Agora, este". "Qual dos dois lhe agrada mais, o primeiro ou o segundo?".

É importante não "empurrar" nada para o cliente, senão ele poderá se sentir pressionado. Utilize as técnicas de forma a fazê-lo sair convicto de que a escolha foi dele, porque não deixou de ser.

# VENDER VÁRIOS PRODUTOS E SERVIÇOS PARA UM SÓ CLIENTE

## "COMPRE MAIS! LEVE MAIS ESSE! VOCÊ VAI PRECISAR DESSE TAMBÉM, VAI POR MIM!"

Existem vendedores que têm mania de vender o primeiro produto ou serviço e encaminhar o cliente para o caixa. Outros perguntam "Mais alguma coisa?" ou "Só isso?". Sabemos que na maioria das vezes a resposta é "Sim, só isso". Mas esses vendedores se dão por satisfeitos vendendo apenas um produto ou serviço e não tentam a venda de adicionais. Quando tentam, é de uma forma que está plantando perguntas para receber um "Não". Não que vender apenas um produto ou serviço seja demérito; ao contrário, às vezes ficamos o triplo do tempo com um cliente para conseguir vender um artigo ou, dependendo do cliente, é mais trabalhoso para vender aquele produto ou serviço mais em conta do que vender para outro cliente cinco vezes mais.

O que precisamos ter em mente é que não adianta sermos insistentes a ponto de nos tornarmos chatos na visão do cliente, ou seja, aquele "empurrador de coisas" que vai apresentando e vendendo até que o cliente diga que não quer mais nada; nesse momento saiba que, se continuar tentando, vai se tornar inconveniente e acabar estragando a venda.

Quando a venda do item principal estiver concluída, sem apontar o caixa, sem perguntar se quer mais alguma coisa, automaticamente comece a apresentar itens adicionais.

A melhor forma é demonstrar que o que o cliente escolheu está separado e naturalmente ir falando sobre a próxima aquisição, usando a técnica "Como apresentar um produto ou serviço" (página 151). Continue aplicando essa técnica para aumentar seu *ticket* médio e para vender números ilimitados de serviços e produtos para cada pessoa.

Cada venda funciona como um gancho para novos itens. Em uma loja de pesca, por exemplo, se alguém aparece querendo comprar um anzol, pode sair até com o barco se o vendedor for bom. Em vez de fazer uma pergunta fechada, do tipo "Deseja mais alguma coisa?", é mais eficiente falar "Para os dias em que o mar estiver mais agitado, e para não perder nenhuma oportunidade durante sua pescaria, esse item aqui vai fazer com que a viagem não seja perdida. Já pensou viajar tantos quilômetros, gastar gasolina, pedágio e não conseguir pescar? Isso não pode acontecer. E a gente não pode confiar na previsão do tempo, né? Por isso é que vale a pena o senhor ter este produto também. Dê uma olhada nele". Ele até poderá dizer a você que não precisa, mas vai prestar atenção. E isso pode se tornar mais uma venda engatilhada, antes de outra e de outra. Se fizer alguma pergunta, que seja sobre o que ele usa em determinada situação, para que você possa ir apresentando soluções e vendendo mais e mais. Não faça o de sempre: "Mais alguma coisa?", "Gostaria de mais alguma coisa?", "Só isso?" ou, simplesmente, "Essa é a sua notinha e é só pagar ali".

## PRESENTE APÓS A COMPRA

### "E PRA SUA ESPOSA? PRO CACHORRO? PRO PAPAGAIO? PRO VIZINHO, QUEM SABE..."

Quando o cliente não quiser mais nada para ele, será o momento de oferecer produtos ou serviços para ele presentear.

Mas não devemos simplesmente perguntar "Vai levar algo para presente?" ou qualquer outra indagação desse tipo. Se fizermos assim, possivelmente o cliente dirá que não, pois, com as atribulações do dia a dia, é comum que acabe esquecendo que tem alguém para presentear. Por esse motivo, colabore fazendo-o se lembrar de possíveis pessoas que ele possa ter esquecido.

Seja maleável na hora de questionar e não faça uma pergunta dura, fechada. Dê opções: "E para presente? Uma data comemorativa, uma data especial, alguém que esteja fazendo aniversário nos próximos dias...".

O cliente precisa ser lembrado. Muitas vezes há, sim, alguém que ele deseja presentear. Tudo o que falta é a oportunidade, que é dada pelo vendedor. Há datas comemorativas o ano inteiro: Dia da Secretária, Dia do Médico, Dia do Advogado. Sempre há uma razão para um presente, e o cliente precisa ser lembrado e convencido disso.

Aqui valeria a pena a loja ter uma "listinha" que pudesse consultar ou mostrar ao cliente. Assim, podem ser criadas ações rápidas para cada data comemorativa.

## CLIENTE QUE JÁ ENTRA SABENDO O PRODUTO OU SERVIÇO QUE QUER

### ELE É DO TIPO DIRETO. MAS PODE LEVAR MAIS ALGUMA COISA...

Você tem o cliente em suas mãos e não aproveita para, além de vender o que ele procura, vender produtos ou serviços adicionais. Ainda acha que fez uma venda, mas na verdade apenas entregou o que o cliente veio buscar. Costuma atender de uma forma fria e mecânica, apenas informando preço, formas de pagamento, às vezes perguntando se quer mais alguma coisa, encerrando o atendimento.

Otimize cada situação com o cliente que estiver de frente a você, estabelecendo uma aproximação mais calorosa e não mecânica. Mesmo que ele entre na loja já sabendo o que quer, pergunte se já conhece o produto e enfatize suas qualidades. Faça perguntas para que ele fale sobre a experiência que teve quando adquiriu o produto outras vezes. Se nunca adquiriu, fale sobre os benefícios que terá. Envolva o cliente por completo nesse atendimento que, aparentemente, é simples, mas que pode fazer a diferença. Isso demonstra que você não está interessado apenas na venda e tornará mais fácil vender produtos ou serviços adicionais.

Se ele já sabe o que vai levar, é um cliente que você já tem, basta apenas conservá-lo como tal. Ele já sabe o que quer e onde procurar, então uma mercadoria ou serviço pode se multiplicar de maneira bem fácil. Se ele está comprando um xampu, convença-o a levar um condicionador. Se estiver levando um par de sapatos, faça-o levar um par de meias. Se estiver levando um paletó e uma camisa, diga a ele que é interessante que ele tenha mais uma gravata, conforme explicado na técnica "Vender vários produtos ou serviços para um só cliente" (página 184). Sempre haverá algo útil para complementar, aí sim, de fato, será uma venda e não apenas uma entrega de produto ou serviço.

# COMO VENDER UM PRODUTO ENCALHADO

## "CONHECE ESTE? POSSO GARANTIR QUE É BOM. VOCÊ JÁ EXPERIMENTOU?"

Na prateleira sempre há algo que vende menos. Por quê? O produto encalhado não é necessariamente ruim ou de má qualidade; é aquele para o qual damos menos atenção. Os artigos que mais vendem são, simplesmente, os produtos que mais mostramos.

As empresas têm sérios problemas com estoque parado há muito tempo, e nada melhor que o vendedor para colaborar com o giro desses produtos.

Muitos imaginam que, se quisermos vender um produto encalhado, ele terá de ser o primeiro a ser apresentado. Mas não é assim – na verdade, é totalmente ao contrário.

Apresente-o no momento em que sentir que o cliente está seguro com sua pessoa, depois da confiança que conseguiu estabelecer. Entre uma apresentação e outra, você o impressiona com um efeito surpresa. Como em um passe de mágica, você demonstra a ele. Por meio de sua expressão facial, cortando o que estava falando, diga que acabou de lembrar que tem um produto totalmente exclusivo. Após isso, continue utilizando a técnica "Como apresentar um produto ou serviço" (página 151). Mas não esqueça que, em primeiro lugar, o produto terá de estar dentro das características da pessoa. Isso é ética.

Em uma empresa de *fast-food*, havia uma gama de molhos que poderiam ser vendidos com os sanduíches, mas ninguém os comprava. Naquela loja, esses condimentos já eram vistos como produto encalhado fazia muito tempo. Até que uma vendedora descobriu os molhos e começou a oferecê-los em todos os atendimentos. Em pouco tempo, foi preciso pedir mais aos fornecedores, pois a saída havia triplicado: quase não se vendiam mais lanches sem os molhos adicionais. Tudo por conta de uma atitude que fez a diferença.

Produto encalhado é sempre prejuízo. É bom ficar sempre de olho para não deixar nada encalhar. No entanto, se aconteceu, coloque a mercadoria em circulação utilizando as técnicas. Produto à venda precisa circular.

## COMO VENDER CARTÃO DE CRÉDITO

## "BOA TARDE! VOCÊ JÁ TEM O CARTÃO DA LOJA?"
## "NÃO TENHO E NÃO QUERO!!!"

Em muitas lojas de departamentos existem profissionais destacados para vender cartão de crédito às pessoas que transitam nos setores do estabelecimento. A grande maioria recebe "Não" o dia todo e quase nenhum "Sim".

Como os clientes acabam se sentindo desconfortáveis pela maneira como são abordados, "eliminam" os vendedores de bate-pronto.

Não adianta chegar no cliente falando alguma coisa sobre o cartão ou oferecer ajuda com algo específico da loja e simultaneamente falar sobre o cartão. São pouquíssimas as vezes em que se obtém êxito.

As melhores vendas acontecem quando nos aproximamos de uma pessoa sem dar sinal ou evidência de que queremos vender algo. Então, se quiser vender cartão, não fale sobre ele até obter uma conexão com o cliente. Você pode pensar "Nossa, assim vou ficar 'muito tempo' com cada cliente, é mais fácil ir direto ao assunto". Ir direto ao assunto não permite que haja o tempo necessário para a pessoa se acostumar com sua presença. Você abordará centenas de pessoas procurando volume e terá pouco ou nenhum resultado. Para falar sobre o cartão, primeiro você tem de trabalhar o cliente para que ele esteja aberto a ouvir sobre o cartão e, como consequência, querer adquiri-lo.

Tudo começa com um pequeno bate-papo sobre qualquer outro assunto. Faça o cliente se sentir à vontade, confiante e admirado de alguma forma com a sua presença. Quando perceber que alcançou esse estágio, aplique a técnica "Como apresentar um produto ou serviço" (página 151).

Suas chances de venda aumentarão se o cliente tiver a impressão de que você só ofereceu o cartão porque percebeu que será benéfico para ele, com base na conversa que tiveram.

Não se esqueça: pessoas compram de pessoas de quem elas gostam, qualquer que seja o motivo!

## ESPOSA CRITICA TODOS OS PRODUTOS DE QUE O MARIDO GOSTA E VICE-VERSA

### LEMBRE-SE: AGRADAR A GREGOS E TROIANOS É IMPOSSÍVEL. MAS DÁ PARA MATAR DOIS COELHOS COM UMA CAJADADA SÓ.

Alguns casais têm o hábito de querer que o parceiro ou a parceira compre só o que for de seu agrado. Ou seja, se o marido gostar e a esposa não, ela ficará "infernizando" até conseguir fazê-lo desistir da compra – e vice-versa.

Nesse momento, você encontra uma oportunidade maravilhosa para vender o produto de que o marido gostou e o produto de que a esposa gostou. Durante o atendimento, você descobre o que a esposa quer que o marido compre; então, você o orienta a agradar aos dois. Ou seja, comprar o que a esposa prefere, para usar quando estiver com ela, e comprar o que ele prefere, para usar quando estiver em outras situações, sem ela.

É sabido que as pessoas não pensam da mesma forma. O importante ao tentar agradar a um casal com produtos ou serviços diferentes é não alimentar uma discussão e, sim, chegar a um consenso. Você está tentando agradar a duas pessoas bem diferentes na mesma compra, e isso requer muito cuidado. Fazendo bem a sua parte, você pode ganhar dois clientes que compram juntos, mas que também compram com você separadamente.

CLIENTE QUE AO FINAL DO ATENDIMENTO DIZ QUE VAI DAR UMA VOLTA PORQUE NÃO SABE SE COMPRA UMA CAMISA, UMA CALÇA OU UM SAPATO PARA PRESENTEAR, EM VEZ DO PRODUTO QUE VOCÊ APRESENTOU

## A VOLTA DOS QUE NÃO FORAM. AINDA!

Sempre que nos propomos a resolver uma situação com alguma pessoa, primeiramente precisamos entender os objetivos do outro lado, para então apresentarmos os resultados a serem obtidos.

No caso de uma pessoa que procura algo para presentear, quais são os objetivos dela? Geralmente a intenção é agradar à pessoa, fazer com que ela goste do presente, que usufrua dele, que se lembre de quem a presenteou, que se sinta bem, etc. Pronto, já temos uma média dos objetivos de quem quer presentear.

Então, temos de apresentar argumentos que sejam respostas a esses objetivos; que sejam os resultados.

Vamos supor que você esteja vendendo perfume e se deparou com esta situação: a pessoa gostou do que você apresentou, mas disse que iria dar uma volta e pensar melhor, pois não sabia se comprava, por exemplo, uma calça, uma camisa ou um par de sapatos. Nesse caso, olhe bem no fundo dos olhos da pessoa, com o coração, e diga: "Uma calça, um sapato ou uma camisa são muito interessantes para presentear [com isso, você valoriza o sentimento e o desejo do cliente], mas quem é que não gosta de ganhar perfume? Na hora em que ela abrir a embalagem de presente e ver que é uma fragrância, vai querer logo tomar um banho para poder usá-la. De repente, a pessoa não acorda nos melhores dias e a usa, vai ao trabalho e recebe algum elogio por conta do perfume; esse elogio eleva sua autoestima, e ela vai se lembrar de quem? De quem a presenteou, certo? Daqui a dez anos, quando de repente ela sentir em algum lugar a mesma fragrância ou um aroma da mesma família olfativa, com certeza se lembrará de você e de todos os momentos da época em que usava esse perfume".

A forma como você falar fará toda a diferença. Ao final, o cliente se convencerá de que está oferecendo ao presenteado mais que um produto, e sim uma verdadeira lembrança. Também se sentirá satisfeito porque não vai ser preciso ficar "rodando" pelas lojas e alimentando ainda mais a dúvida, correndo o risco de dar algo de que o presenteado não goste. As pessoas gostam de ser lembradas, e reforçar essa parte é fundamental quando se fala em presente.

COMO FAZER O FECHAMENTO

## "COMPRA, VAI! PRECISO BATER MINHA META!"

O fechamento, para alguns vendedores, pode ser considerado o momento mais difícil da venda, já que se trata da cereja no bolo de qualquer negócio. Se você percorre todo o caminho, mas não fecha a contento, todo o trabalho vai por água abaixo. Por isso é muito importante estar seguro nesta parte.

Essa etapa será muito fácil se você tiver concluído com vigor as demais. Se o atendimento foi positivo do começo ao fim, é agora que vem a chave de ouro. Depende de você canalizar todo o seu esforço e seu empenho nesta ação, que o credencia em mais uma venda vitoriosa.

Se o cliente estiver satisfeito com o produto ou serviço que vai adquirir, aí é que, mais ainda, você poderá considerar a venda fechada.

Relembramos a seguir algumas táticas de fechamento.

- × Analise os pensamentos e conversas do comprador neste ponto. Ele está se mostrando interessado? Então chegou a hora.
- × Faça o fechamento da venda na sua cabeça, imaginando todos os itens da cena, antes de fechá-la realmente.
- × "Implante" na cabeça do cliente o motivo mais lógico para a compra. É bem mais fácil mantê-lo convencido assim.

- Não deixe o cliente desviar do assunto. Se isso acontecer, deixe-o terminar até que a fala dele se esgote e volte para o motivo principal da conversa, que é a venda.

- Se ele quiser consultar advogado, esposa, cachorro ou papagaio, procure fechar o cerco. Não o impeça, mas coloque na cabeça dele que, naquele momento, as duas pessoas mais indicadas para ter certeza da venda são o cliente e o vendedor – ou seja, ele e você.

- Evite deixá-lo pensar por longos períodos, porque isso pode levantar dúvidas e prejudicar a venda.

- Presuma que o cliente vai comprar e traduza esse pensamento em suas palavras e gestos. Quanto menos negatividade, melhor. Ele precisa ver em seu rosto que você já sabe que ele comprará.

- Guarde com você até o final alguns "argumentos de emergência". Se ele ameaçar desistir, você vai soltando os argumentos aos poucos para fazê-lo voltar ao propósito. Tenha muitos argumentos e jamais os use de uma vez, saiba dosá-los para garantir o sucesso.

- Ao informar o montante da compra, considere sempre algo acima do exato. É sempre bom ter alguma margem para negociar. Quando você joga quantidades ou valores para baixo, você menospreza sua venda e seu cliente.

- Saiba o "momento psicológico" do seu cliente: pela conversa anterior, você mesmo perceberá se é hora de finalizar a compra. Antecipe-se a ele para resolver dúvidas mais comuns, mas não se mostre afobado demais se achar que ele ainda está com cara de interrogação ou se está pensando que você vai empurrar algo "goela abaixo" dele. Seja sereno e atento.

Você perceberá que, rapidamente, a venda terá se realizado, e concluirá seu atendimento com sucesso para pensar no próximo negócio. Tenha sempre em mente: não adianta abrir a porta e "largar" lá. Toda a venda precisa ser instigada, trabalhada e fechada.

## TÉCNICAS – PARTE 6: "DESENVOLVIMENTO"

As técnicas apresentadas nas próximas páginas têm o objetivo de ajudá-lo a se manter sempre em desenvolvimento, sem parar de se atualizar e melhorar na profissão.

Estar totalmente apto para fazer seu trabalho diariamente da melhor forma possível o auxiliará a aplicar com maestria todas as técnicas e conquistar cada vez mais o "Sim".

PREPARAR-SE ANTES DE CHEGAR
AO TRABALHO

## O "RITUAL" DO VENDEDOR MODERNO.

Quando algo não nos agrada, temos o hábito de ficar pensando e comentando a respeito e, com isso, alimentando sentimentos que só nos causam coisas ruins, por mais que não percebamos. Pior ainda quando você já acorda pensando no problema e reclamando.

Para que você tenha um dia, dois dias, uma semana, um mês, um ano, alguns anos – ou seja, para começar a ter dias cada vez melhores a seu favor, é muito importante criar alguns hábitos positivos na vida. Independentemente de como tenha sido sua noite de sono, ao acordar agradeça por ter mais um dia de vida, durante 15 minutos – pode ser enquanto estiver escovando os dentes, tomando banho, tomando café da manhã ou mesmo deitado. Continue agradecendo, nem que seja mentalmente, por tudo o que tem. Começando pelas coisas mais simples, como a escova de dentes e o creme dental que lhe permitem higienizar seus dentes.

Comprometa-se a não deixar sair nenhuma palavra negativa de sua boca, não falar de coisas negativas de outras pessoas e não ficar ouvindo pessoas reclamando ou falando mal de outras.

É extremamente desagradável termos ao nosso lado alguém negativo, que não vê valor na vida e acha graça em criticar os outros sem motivo. Essas pessoas não têm amigos e vivem de arranjar discussões e picuinhas; são um tipo comum em nosso meio, infelizmente. Procure não andar com pessoas assim, que não acrescentam e ainda o prejudicam em seu exercício diário. Você deve ter foco em coisas positivas e pensar sempre para a frente, em evolução, progresso e desenvolvimento. Se não prezar isso em você, ninguém o fará.

No começo vai parecer difícil; isso requer exercício, mas, toda vez que se flagrar fazendo, aponte o dedo polegar para baixo: isso o ajudará a se lembrar de que, quando estiver falando ou pensando algo negativo, sua vida irá declinar.

## PARAR DE RECLAMAR: SUAS RECLAMAÇÕES PREJUDICAM VOCÊ

### PRÊMIO "RABUGENTO NOTA 100".

Preste atenção à sua postura em relação aos seus colegas, pois, quando o estabelecimento está sem movimento, os colaboradores tendem a ficar com muita conversa paralela, o que não soma nada.

O que é que não soma?

Falar mal de um cliente que veio falar de um colega que não está presente, ou seja, fofocar em seu ambiente de trabalho. Uma coisa na qual acredito muito é: se não tiver algo de bom para falar de alguém, simplesmente não diga nada, pois não acrescentará em sua carreira e muito menos em sua vida pessoal.

Não são todos os dias que conseguimos vender muito ou exercer o melhor de nós, então o ideal é não reclamar do estabelecimento ou do seu ambiente de trabalho, mas tentar prestar o melhor serviço possível. Quem consegue ficar ao lado de uma pessoa que só resmunga?

Há também aquele colega que acaba colocando a culpa em fatores externos, como problemas em casa, com a namorada, com a esposa. Claro que nós também temos problemas, mas jamais devemos deixar que influenciem nossa postura profissional. No trabalho, todos os seus problemas externos ficam lá fora.

Esqueça, respire e viva o novo ciclo dentro do ambiente. Se você misturar as coisas, acabará ficando mal com seus colegas, malvisto em seu meio profissional, e sua carreira será prejudicada.

    Como foi dito anteriormente, aqueles que só reclamam ou que causam encrencas acabam ficando sem amigos e desunindo o grupo. Conforme o velho ditado, uma laranja podre estraga as demais. Cuidado para não ser a laranja podre nem uma das laranjas influenciadas.

# DESENVOLVER-SE SOZINHO, NO DIA A DIA, COM MAIOR RAPIDEZ

## "LOUCADEMIA" DE VENDEDORES.

Quando o vendedor finaliza um atendimento, ele às vezes inicia outra recepção, colabora com outras funções da empresa, simplesmente vai conversar com o colega ao lado ou fica em silêncio aguardando sua vez de atuar.

A melhor forma de melhorar sua performance é analisá-la na primeira oportunidade que tiver, quando não estiver atendendo ou exercendo outras funções, ou seja, "passar um filme" em sua cabeça de seu atendimento anterior do início ao fim, independentemente do que tiver ocorrido nesse atendimento. Dessa forma, você conseguirá fazer uma "autoanálise", descobrindo o que pode ser melhorado na próxima vez.

"Por que ela desistiu do que ia levar? Comecei o atendimento falando X, ela me disse Y, aí ela me disse X e eu respondi Y, e ela desistiu e foi embora. Como estava minha expressão facial quando disse Y para ela? Hum, então foi isso, porque quando disse Y meu rosto deve ter transmitido X, então ela não gostou e acabou desistindo da compra. Então, da próxima vez que eu disser Y quando estiver na mesma situação ou em uma parecida, minha expressão deverá ser X, claro que adaptada a cada cliente..."

É uma forma de "autotreinamento". Quando não tiver a resposta, discuta com os colegas a situação e o que eles fariam. Vá colhendo ideias para formar uma opinião.

Cuidado para não se "autopunir" quando descobrir que poderia ter feito diferente. Isso só prejudicará sua atuação e sua saúde. Levante a cabeça e faça melhor e diferente no próximo atendimento.

# COMO DAR E RECEBER *FEEDBACKS* E OBTER CRESCIMENTO INDIVIDUAL

## ESTOU DIRIGINDO BEM? LIGUE PARA 0800...

Só damos um *feedback* – ou seja, avaliamos o desempenho da pessoa – quando ela nos pede, ou quando pedimos para dar e somos autorizados.

Após cada atendimento, peça para o seu colega de confiança o avaliar. Pergunte se você se esqueceu de falar algo e o que pode fazer para melhorar. Após ter recebido o *feedback*, agradeça a quem o ajudou sem discutir o assunto. *Feedback* apenas se escuta; não dá "direito de resposta". Você ouve o que a pessoa tem a dizer e, a partir daí, agradece e reflete sobre o que é válido e o que não é para o seu crescimento; não fica respondendo à pessoa.

O *feedback* nos ajuda a melhorar e a prestar mais atenção nos pontos que podem ser aprimorados. Ninguém é perfeito em nada, somos todos passíveis de erros, e o colega no qual confiamos está ali para nos ajudar e vice-versa.

Você já viu aqueles adesivos em carros públicos ou de empresas em que há a frase "Estou dirigindo bem? Ligue para 0800..."? O *feedback* é mais ou menos isso: serve para você saber se está dirigindo bem a sua função, se cometeu deslizes, se tem alguma mania ou algum vício que o prejudique, etc.

Quando for dar um *feedback*, comece falando sobre dois pontos positivos reais da pessoa (isso fará ela se abrir ao que você tem a dizer), introduza sua opinião e feche com dois pontos positivos.

CADASTRO

## RELACIONAMENTO QUE SE CONSTRÓI POUCO A POUCO.

Sua maior riqueza e a de uma empresa são seus clientes. Pense na quantidade de público que você atende por mês, há quanto tempo trabalha e em quantos clientes cadastrados você tem.

A conta é simples: supondo que você consiga cadastrar apenas cinco clientes por dia entre um dia e outro, e trabalhe 25 dias por mês – em um ano você terá 1.500 clientes cadastrados.

Então, em vez de apenas aguardar novos clientes, você tem a oportunidade de manter um relacionamento com os antigos também, e eles se lembrarão de você.

Você pode fazer rapidamente um simples cadastro em quinze segundos, com quatro perguntas que não tomarão tempo:

× nome e um sobrenome;
× telefone;
× e-mail;
× data de nascimento.

Quando o cliente for embora, anote a data da compra, o que adquiriu e o que deixou de levar. Você pode cadastrar até mesmo as pessoas que está atendendo e que não compraram nada.

Não lote o e-mail do cadastrado, mas a cada quinze dias mande uma mensagem, telefone para convidá-lo para algum evento ou lançamento, mande mensagem por *e-mail* agradecendo sua visita, parabenize-o em seu aniversário, lembre-se de datas comemorativas, utilize as informações que você anotou em algum momento para que ele veja que você se lembrou de detalhes. Por exemplo: a cliente recebe uma ligação sua e se surpreende quando, no meio da conversa, você diz que o creme para a área dos olhos dela deve estar acabando e pergunta se pode deixar um novo item reservado para ela repor. Ela, surpresa, questiona como você sabe que está acabando. E você responde com naturalidade: "É que o último que a senhora comprou foi no dia 4 de abril, e, como é um produto que, se utilizado corretamente, dura em média três meses, então me antecipei (em média duas semanas) antes de o seu acabar, para que a senhora não pare o tratamento".

Um cadastro é bom para sua própria organização. Você saberá se determinado mês foi melhor ou pior pelo número de atendimentos e poderá ter uma relação mais próxima com seus clientes. Também poderá avaliar quem compra mais e o quê, dependendo do cadastro, para oferecer benefícios.

Se for um cadastro mais simples, sem detalhes de compra, o simples fato de você se lembrar da pessoa no aniversário dela já fará muita diferença. Certamente, o transformará em um vendedor bastante singular perante os outros.

## COMO MULTIPLICAR SEUS CLIENTES

### QUANDO UM MAIS UM É MAIS QUE DOIS. BEM MAIS.

Você quer começar a trabalhar com venda direta, marketing multinível ou qualquer outro trabalho que precise de bastante gente, mas diz que não conhece muitas pessoas e não sabe como pode multiplicar seus clientes. Ou já trabalha e está estagnado, sem conseguir aumentar seu número de clientes, pois já vendeu para todas as pessoas que conhece.

Vou contar uma coisa para você: não precisa conhecer várias pessoas para conseguir, em pouco tempo, ter milhares de clientes, pois você pode começar apenas com uma pessoa.

Vá até alguém mais próximo e peça que lhe indique três pessoas com as quais você pode entrar em contato para oferecer seus produtos ou serviços. Diga que ela não terá responsabilidade nenhuma perante o indicado, pois, às vezes, as pessoas têm medo de indicar caso haja algum problema de pagamento ou qualquer outro motivo.

O mesmo serve para você dizer à pessoa não se preocupar, que você fará um atendimento tranquilo e não será inconveniente quando estiver atendendo quem ela indicou. Anote o nome, o telefone e (caso a pessoa tenha) o endereço e entre em contato. Pronto, você já tem três novos contatos: um se transformou em quatro.

Ao atender essas indicações, peça novamente três contatos, da mesma forma como foi feito anteriormente. Se a pessoa tiver gostado de seu atendimento, certamente fará as indicações, pois todos nós conhecemos pelo menos três pessoas para indicar.

Ótimo, desses três atendimentos você conseguiu mais nove novos contatos. Agora são 13 contatos no total. Desses nove, você conseguirá 27 novos contatos. Desses 27, você conseguirá 81 novos contatos.

Dos 81 você conseguirá 243 novos contatos.

Dos 243 você conseguirá 729 novos contatos.

Dos 729 você conseguirá 2.187 novos contatos, e daí por diante.

Se somar todos os contatos, você terá o incrível número de 3.280 contatos, tendo começado com apenas um.

Assim funcionam as grandes redes de clientes.

Sei de um supermercado no modelo cooperativa que começou com apenas uma loja. Cada cliente que fazia sua carteirinha (na época não era cartão) recebia um número a partir do 1. O supermercado começou a oferecer descontos a quem indicasse mais "associados". Em pouco tempo, o número de sócios com carteirinha passava dos quatro dígitos, e o mercado se viu em condições de começar a abrir filiais.

Escolas de idiomas, lojas de roupas e diversos outros tipos de comércio também se utilizam dessa técnica. O próprio vendedor individual tem condições de fazer grandes carteiras de clientes assim.

## OS "CAUSOS" DO "SEU ZÉ DAS VENDAS"

Enquanto profissional da área, eu, Mohamed Gorayeb, passei por várias situações, muitas delas hilariantes.

Outras, mais tensas. Você verá, nas próximas páginas, um pouco do meu dia a dia como vendedor. Será que você também teve, em algum momento, casos assim?

# APROVEITANDO A OPORTUNIDADE PARA FATURAR

Um homem entrou na loja com a esposa e os filhos e foi atendido por uma promotora de uma marca concorrente da minha. De longe, comecei a prestar atenção discretamente no atendimento e percebi que o cliente estava muito disposto a comprar, mas a promotora não estava aproveitando essa oportunidade. Por ética e para evitar conflito, eu não podia interferir no atendimento. Após ela concluir a venda e o cliente efetuar o pagamento, quando ele chegou com sua família à saída da loja, eu o abordei e comecei a conversar sobre algumas coisas que tinha ouvido o cliente falar.

Desenvolvi uma conversa não relacionada com a venda, e, no final, o cliente passou novamente no caixa (dessa vez com um produto da marca com que eu trabalhava), passando seu cartão pela segunda vez. Diferentemente da primeira compra, o valor do *ticket* foi 900% maior.

Algumas técnicas utilizadas nesse atendimento: "Não pensar apenas na venda" (página 125), "Visão 360°" (página 181), "Não julgar os clientes" (página 103), "Voz" (página 80), "Olhar" (página 82), "Postura" (página 93), "Convicção/segurança" (página 91), "Falar sobre as características do cliente" (página 150), "Vender vários produtos ou serviços para um só cliente" (página 184), "Como falar os preços" (página 172), "Quanto vale o que está vendendo?" (página 149), "Pessoas compram de quem?" (página 64).

## AS SEIS NAMORADAS DO CLIENTE

Atendi um cliente muito peculiar no Dia dos Namorados. Com a confiança que passei durante a abertura e a sondagem, ele se sentiu muito à vontade e seguro para compartilhar algo que me deixou muito surpreso. O cliente confidenciou que precisava de seis presentes idênticos: um para cada caso romântico. Tinha medo de se confundir e por isso os itens precisavam ser todos iguais.

Algumas técnicas utilizadas neste atendimento: "Cliente que procura produto ou serviço para presente" (página 159), "Ética nos atendimentos" (página 121), "Não pensar apenas na venda" (página 125), "Ouvir o cliente" (página 126), "'Acho que você vai gostar'" (página 158).

## ATROPELADO PELO VENDEDOR CONCORRENTE

Comecei a atender uma cliente bem difícil de ser conduzida. Usei todas as técnicas possíveis e, após meia hora, consegui convencê-la a levar o que estava oferecendo. De repente, um rapaz que estava representando outra marca (promotor concorrente) entrou descaradamente na minha frente, tentando me anular como pessoa, oferecendo seus produtos e falando sobre eles.

Olhei para ele e, como vi que ele não estava brincando e já havia inclusive tirado todos os meus produtos de cena, preferi sair para não causar qualquer mal-estar, sem discutir sobre o ocorrido.

Quando a cliente se foi, puxei o promotor de lado e disse: "Você não precisa disso para vender, pois você é muito bom. Sei que você é novo no mercado e vou lhe dar um alerta: sua sorte é que você fez isso comigo, pois se fizer isso com alguma outra pessoa ou em outra rede mais rígida, você ficará queimado para sempre. Você não percebe, mas sua atitude pode se espalhar como vírus e você não seria bem-vindo em nenhum lugar".

Após alguns anos, encontrei com ele em uma feira e tive a grata surpresa de saber que havia sido promovido como executivo de vendas e que aquelas palavras no início de sua carreira haviam feito total diferença.

Técnica utilizada neste atendimento: "Ética nos atendimentos" (página 121).

Não tentar vender a qualquer custo é um dos principais ensinamentos para o vendedor. Quando falamos em ética, estamos falando em não lesar o cliente, mas também em nos preocupar sobre como estamos tratando o colega. Há espaço para todos, ainda mais dentro do mesmo ambiente de trabalho, e faltar com ética rebaixa o ser humano. Se construirmos uma boa relação em nosso *network* – forma em inglês de tratarmos nossa rede de contatos –, nosso crescimento humano e profissional só terá a ganhar.

# EFEITO PLACEBO: QUANDO A EMOÇÃO DA VENDA FAZ MAIS MILAGRE QUE O PRODUTO

Estava trabalhando em um hotel de luxo em São Paulo como promotor, divulgando os perfumes de uma grande marca internacional para os lojistas. Em determinada circunstância, fui apresentar o produto para um casal. Eram proprietários de uma rede de lojas.

Um olhou para o outro quando eu havia acabado de entregar a fita olfativa/*blotter* contendo a fragrância. Foi imediata a expressão em seus rostos de "Nossa, que perfume maravilhoso", com os olhos arregalados e surpreendidos com a fragrância.

Quando olhei melhor o provador, percebi que havia borrifado água e que aquele frasco que pensei que fosse o *tester* era, na verdade, o *factice*, ou seja, o frasco original com água colorida dentro, sem fragrância.

Rapidamente, troquei de frasco, pegando o provador, borrifei novamente e disse: "Olha, como vocês gostaram tanto desse perfume, borrifei novamente com uma dosagem maior, para que ele permaneça por mais tempo. Na pele ele fixa muito bem, mas, como está no papel, ele tende a ficar menos tempo". Rapidamente, peguei as fitas que estavam com eles e entreguei as novas com o perfume. Eles disseram "O.k.", sentiram novamente o odor e não perceberam nada.

Algumas técnicas utilizadas neste atendimento: "Pessoas compram de quem?" (página 64), "Como apresentar um produto ou serviço" (página 151), "Empatia" (página 90), "Quanto vale o que está vendendo?" (página 149), "Trabalhar cada produto ou serviço" (página 154).

## A CLIENTE INDECISA E OS QUINZE PRODUTOS

Como de costume, eu ficava dois dias em cada loja. Um dia, aconteceu de todas as vendedoras não se manifestarem para atender uma mulher que estava apenas circulando. Não pensei duas vezes e fui realizar o atendimento.

Enquanto atendia, uma das vendedoras me puxou de lado e disse: "Mohamed, não perca seu tempo com ela, pois ela costuma vir toda semana aqui na loja, quer conhecer tudo, ocupa o nosso tempo e não compra nada. Você vai perder seu tempo também".

Olhei para a vendedora e me fiz de surdo. Voltei e me entreguei ao atendimento, sem julgar se essa pessoa compraria ou não. Simplesmente fui fazer meu papel, que era atender todos da melhor forma possível, independentemente do cliente.

Estava com ela fazia aproximadamente meia hora, e ela dizia estar em dúvida entre quinze produtos. Como ela era uma pessoa sem freios e queria que baixasse toda a loja, os produtos de que ela gostava eu deixava separados, em um balcão, para não me esquecer depois. Ia deixando tudo exposto, mas organizando para não poluir visualmente e não deixá-la confusa e incomodada (isso poderia me fazer perder a venda).

Aos poucos, aqueles de que ela não gostava, eu colocava novamente no lugar.

Como a loja estava sem movimento, todas as colegas acompanhavam o atendimento, provavelmente reprovando minha atitude.

Usei diversas técnicas para que ela levasse todos, tentei descobrir o produto de que ela havia gostado mais, e nada. Ela olhou pra mim e disse: "Estou em dúvida entre esses, então vou dar uma volta e daqui a pouco volto".

Em milésimos de segundos pensei "E agora?". Era a primeira vez que havia me deparado com uma pessoa em dúvida entre tantos produtos. Olhei no fundo de seus olhos e disse: "Fulana, você vai ver como é fácil escolher, porque eu vou ajudar".

Enfileirei os produtos, deixando um ao lado do outro. Pegava-os de dois em dois e perguntava: "Olhe este", "Agora este...", "Dos dois, qual lhe agradou mais? O primeiro ou o segundo?". Ela, então, informava de qual dos dois havia gostado mais.

Aquele de que ela menos gostava eu tirava da fileira e colocava para trás, para ficar mais visível sua preferência. Em seguida, ia para os próximos dois produtos. Quando percebi, ela já havia eliminado dez dos quinze itens. Após isso, eu disse: "Viu como é fácil escolher seus preferidos?".

Juntei todos, usei a "Técnica da calculadora" (página 176), ela fechou a compra e ainda tentei vender algo para presente. Não quis levar para presente, mas tenho certeza de que foi uma lição não só para mim como também para todas as colegas que não sabem como é tirar leite de pedra apenas continuando o atendimento e estando aberto a novas possibilidades. Tudo o que ela precisava era ser atendida por alguém que soubesse orientá-la, acompanhasse seu ritmo e não pensasse só na venda.

Algumas técnicas utilizadas neste atendimento: "Técnica da calculadora" (página 176), "Cliente indeciso entre alguns produtos ou serviços" (página 182), "Não julgar os clientes" (página 103), "Não pensar apenas na venda" (página 125),

"Dirigir o foco para o cliente enquanto estiver atendendo" (página 66), "Quando o cliente disser que não gostou" (página 129), "Ouvir o cliente" (página 126), "Postura" (página 93), "Empolgação" (página 87).

## NÃO MENOSPREZAR O CLIENTE: A GRANDE LIÇÃO

Este "causo" é da época em que eu trabalhava como promotor de vendas. O movimento estava fraco e não entravam clientes naquela tarde. Fui para fora, na esperança de obter algum potencial cliente e trazê-lo comigo.

Abordei um rapaz aparentemente bem simples no modo de agir e de se vestir. Quando entrei com ele na loja, uma vendedora torceu o nariz, como se estivesse dizendo que dali não sairia nada.

Fui mostrando os produtos a ele um a um, sempre da linha masculina. Era um rapaz vaidoso. Tudo que eu mostrava, ele queria.

Resultado: o cliente comprou 16 produtos (a média da loja era dois por cliente). Quando foi pagar, outra surpresa: o cartão não passou. Não me desesperei, passaria de novo sem problemas, mas ele, ao ver a dificuldade, pagou tudo à vista, em dinheiro. A vendedora que havia desdenhado o cliente aprendeu uma nova lição.

Algumas técnicas utilizadas neste atendimento: "Nenhum cliente é perdido (ou 'Faça acontecer')" (página 105), "Não julgar os clientes" (página 103), "Como abordar os passantes" (página 73), "Importância do semblante no atendimento" (página 78), "Pensar antes de apresentar um produto ou serviço" (página 127), "Como pegar e manusear o produto para agregar valor" (página 169), "Como falar os preços" (página 172).

## DIFERENÇAS PÓS-TREINAMENTO

Nas próximas páginas são apresentados alguns casos de resultados pós-treinamento. Aqueles que se utilizaram das técnicas que você conheceu ao longo do livro se tornaram grandes vendedores, e tanto eles quanto seus empregadores colhem os frutos deste trabalho e de sua dedicação. São pessoas que passaram a ver novos horizontes nos atendimentos e uma forma diferente de tratar cada cliente. Pessoas que realmente passaram a receber mais "Sim" e menos "Não".

25 de agosto de 2005. Meu celular toca de um número desconhecido e, quando atendo, uma voz empolgada diz:

"Oi, meu chapa! Tudo bem, Mohamed?"

A única pessoa que eu conhecia que me chamava de "meu chapa" era o Fabrício, que tinha sido meu chefe quando eu trabalhava como promotor de vendas.

"Estou bem", respondi, surpreso com a ligação, pois fazia tempo que não nos falávamos.

Ele continuou:

"Então, Mohamed, estou trabalhando como diretor da empresa X. Lembra quando contratei você em 2002 como promotor e, vendo como você se destacava, chegando ser a pessoa de todo o mercado que mais vendia os produtos de nosso segmento, prometi que, quando tivesse oportunidade, promoveria você como treinador? Então, em 2004 me desliguei da empresa, então não pude cumprir o que havia prometido. Agora que estou como diretor da empresa X, enxerguei uma oportunidade para contratá-lo como treinador, pois temos um plano bem agressivo para aumentar o faturamento e precisamos 'turbinar' nossos promotores de vendas. Podemos agendar uma reunião para a próxima segunda-feira, dia 29?"

"Claro!", disse eu, feliz com o reconhecimento. Anotei o endereço e o horário e aguardei a data.

Na reunião me apresentaram todo o planejamento de crescimento que a empresa havia se proposto a alcançar. No final, o Fabrício disse:

"Mohamed, seu papel será capacitar toda a equipe de promotores que já atuam na empresa e os futuros contratados. Quero que você multiplique todo o seu conhecimento, ensine tudo o que você fazia para vender, para que tenhamos vários 'Mohameds' ao redor do Brasil vendendo muito e proporcionando uma experiência muito positiva para os lojistas e o consumidor final."

Segunda-feira, dia 25 de setembro, estava eu lá, feliz e com frio na barriga, pronto para o meu primeiro dia de trabalho. Entre várias tarefas paralelas que tinha para desenvolver, como me apresentar para a equipe de promotores, conhecer novas contratações, estudar agenda de visitas dos promotores, conhecer os produtos, entre outras, o meu maior desafio era transformar minha experiência em treinamento.

Pensando em como poderia começar a colocar o treinamento no papel, de repente tive uma luz: "Mohamed, comece a repassar em sua mente os mais de 50 mil atendimentos que você efetuou ao longo desses anos, lembrando-se dos detalhes. Quando se lembrar de algum detalhe, apenas escreva-o, sem precisar dizer como se faz; apenas escreva e enumere. Por exemplo: o que fazer quando o cliente procura produto em falta (esse é o detalhe), o que fazer quando o cliente diz que achou caro (esse é o detalhe), o que fazer quando o cliente pergunta o preço (esse é o detalhe). Quando tiver enumerado todos os detalhes que conseguiu lembrar, comece a rascunhar como você resolvia esse detalhe. Comece a se lembrar de todo o atendimento, como se estivesse atendendo naquele momento".

Após alguns dias rascunhando em um caderno – pois, como tinha acabado de entrar na empresa, ainda não haviam disponibilizado um computador para que eu pudesse trabalhar –, consegui concluir todo o processo de enumerar e explicar. Quando me dei conta, tinha inúmeras folhas de caderno escritas, e fiquei feliz por ter conseguido concluir essa primeira parte do processo.

Agora era o momento de separar as informações mais relevantes, para que eu pudesse montar o primeiro treinamento "oficial" da minha vida, que foi a porta de entrada para todos os outros até os dias atuais.

Exatamente dois meses após o telefonema do Fabrício, em uma manhã de terça-feira, dia 25 de outubro de 2005, eu estava preparando a sala para receber a primeira equipe que participaria do primeiro treinamento de vendas criado por mim. Ele teria duração de dois dias. Começamos às 8h30, pontualmente. Eu estava animado; embora não soubesse direito se tudo ocorreria conforme o planejado durante o curso, tinha certeza absoluta de que os resultados seriam positivos na hora em que aquela equipe fosse para os pontos de vendas, os PDVs.

O encerramento do treinamento no dia 26, quarta-feira, foi um sucesso. A equipe estava totalmente ansiosa para o dia seguinte, em que poderia aplicar o que tinha aprendido. Eu estava totalmente feliz e realizado por ver como esses dois dias haviam sido fantásticos. Acabei indo muito além do que imaginava ser capaz. Após aquele treinamento, tive certeza de que a minha missão na vida seria multiplicar e capacitar profissionais.

O processo continuou com outras equipes da empresa em todo o país, e tive uma grata surpresa após dois meses. A companhia simplesmente teve ruptura de estoque, ou seja, o estoque que tinha para abastecer o mercado por dez meses durou pouco mais de dois meses. Tudo isso alcançado com o despertar da equipe de vendas devidamente preparada para aproveitar todas as situações. A equipe treinada visitava as lojas, vendia muito além do seu histórico, as lojas faziam novos pedidos para a equipe comercial de representantes, e como resultado o estoque escoou rapidamente.

Desliguei-me da empresa em 2006 e comecei a oferecer o treinamento para todo o mercado. A cada novo contrato, novas necessidades tinham de ser supridas, o que fez com que fossem criadas novas técnicas de vendas, chegando a mais de mil delas nos dias de hoje. Tive de criar diversos módulos de treinamentos e formatos para atender todo tipo de demanda das empresas. Claro que as técnicas de vendas são as mesmas na essência, porém, são adaptadas a cada realidade, e o formato de apresentação de cada técnica é diferente de acordo com cada necessidade e cada momento. Até o ano de 2015, cheguei à marca de quase 9 mil horas de treinamentos para empresas de diversos segmentos.

## ACABANDO COM O ESTOQUE

No começo de novembro de determinado ano, uma rede de lojas se abasteceu para o Natal. As técnicas foram ensinadas para a equipe no dia 17 de novembro. No dia 18, as vendedoras voltaram para as lojas. O nível de suas vendas após o treinamento foi tão alto que, em uma semana, superou o melhor mês do ano em vendas. A rede teve de fazer novos pedidos de última hora para não ficar sem mercadoria para o Natal.

## QUEBRANDO BARREIRAS

A importadora enviou alguns consultores treinados, entre outubro e dezembro, para uma rede de dez lojas, pois era um cliente com potencial embora não comprasse muito da empresa. Logo nas três primeiras semanas, o pouco estoque da loja referente aos produtos da importadora se esgotou. Por esse motivo, foram negociados com a empresa 800% mais em compras do que de costume, com o compromisso de manter os consultores. Mesmo assim, no início de dezembro, as lojas já estavam quase sem estoque. Em janeiro, a importadora recebeu uma ligação de uma das proprietárias informando que a rede não costumava fazer compras de nenhuma importadora entre janeiro e março e que todas se espantaram quando, em pleno mês de janeiro, viram-se forçadas a fazer um pedido dos produtos da empresa.

## DESTACANDO-SE DA CONCORRÊNCIA

Após a palestra, a promotora retornou à loja de departamentos onde trabalha, em Porto Alegre, e logo no primeiro dia vendeu 600% a mais que sua média histórica. E ainda: entre cinco outras promotoras que estavam na seção em que ela trabalhava, ela representou 60% no total das vendas naquele dia. As vendas das outras promotoras se dividiram nos 40% restantes.

# VENDEDORA ATENTA

Ao perceber que um cliente do shopping em que trabalha, em São Paulo, estava saindo sem comprar nada (pois a vendedora que o atendeu não usou as técnicas aprendidas), a outra vendedora da loja interveio no atendimento da colega utilizando as técnicas e obteve êxito.

# VENDEDORA "TURBINADA"

Após o treinamento do módulo básico, o franqueado de três lojas situadas em shoppings de São Paulo ligou imediatamente para a central da empresa e informou que sua vendedora volante, que atuava em todas as lojas, voltou totalmente "turbinada" e que o resultado nas vendas foi imediato. Dois meses depois, após ter passado pela segunda reciclagem, essa mesma vendedora voltou às lojas e, em uma semana, vendeu todo o estoque do produto (o estoque das três lojas estava programado para durar entre 30 e 45 dias).

# VENDAS DOBRADAS

Antes da palestra, a equipe de vendedoras do shopping tinha dificuldade em aumentar o número de itens vendidos por cada cliente atendido. Após o treinamento, a loja conseguiu dobrar o número de boletos por cliente, em um ganho superior a 100%.

# RESULTADOS QUE REVERTEM DEMISSÕES

Em uma rede de farmácias de Belo Horizonte, duas vendedoras estavam para ser demitidas em virtude dos fracos resultados. Um mês após a implementação do treinamento, elas se tornaram as responsáveis pelos maiores números de vendas em praticamente todas as categorias de produtos, revolucionando a história da rede e a de suas carreiras.

# PRÊMIO

Após o treinamento de uma loja de departamentos localizada em um shopping de Belo Horizonte, uma das vendedoras foi premiada por ser a melhor de toda a rede naquele mês.

DOBRANDO O BOLETO

Uma semana após o treinamento de uma loja localizada em um shopping de Sorocaba (interior paulista), mesmo estando em 2º lugar em vendas de toda a rede antes do treinamento, a equipe dobrou o valor do boleto por cada cliente atendido.

# NOVA ABORDAGEM, NOVAS VENDAS, NOVOS RESULTADOS

Uma importadora de perfumes vinha recebendo muitas reclamações de seus clientes lojistas, pois seus perfumes estavam encalhados por falta de venda. Alegavam que os clientes não gostavam das fragrâncias, e para piorar os perfumes não eram conhecidos. Após a aplicação do treinamento para a equipe de promotores que atuava nessas lojas, a situação negativa se inverteu completamente, pois foi detectado que a abordagem e a demonstração praticadas estavam totalmente inadequadas. Após o treinamento, as vendas começaram a acontecer, escoando o estoque e dando entrada para novos pedidos.

PARA CONCLUIR

Vivemos em um mundo no qual o comércio é uma das formas de trabalho mais vitais, e são os mais capacitados que se destacam. Realizar uma venda é, basicamente, entregar sonhos, suprir necessidades. Toda venda é uma vivência, e uma nunca é idêntica à outra.

Vender pode ser mais simples e divertido do que se imagina. É uma profissão muito dinâmica, em que cada situação é diferente da outra. Nunca a venda de hoje será igual à de amanhã. E este livro procurou mostrar como agir em cada momento, sempre valorizando quem está comprando e, principalmente, você como profissional.

O vendedor não deve temer o cliente ou vê-lo como mais um. Cada venda precisa ser uma conquista, pois lidar com pessoas é o maior patrimônio que o agente de comércio pode ter. O segmento, sendo um dos que mais empregam no Brasil, escancara suas portas àqueles que querem ser vendedores de verdade.

Porém, o livro não trabalha por si só. É preciso muita força de vontade por conta do leitor que quer trabalhar com vendas ou que já trabalha e quer se atualizar. Portanto, minha orientação é que você estude, aplique as técnicas e vá acompanhando sua evolução.

O vendedor é o profissional que pode fazer o seu próprio salário, basta que assim ele queira.

Se for preciso, releia todas as páginas, saboreando com cuidado o texto e lidando com carinho. Que este livro possa ser seu companheiro de cabeceira e o primeiro passo para um sucesso jamais visto.

Agora que você leu, comece a pôr as técnicas em prática. Certamente, é a hora de você receber mais "Sim" e menos "Não"!

Um forte abraço!

*Mohamed Gorayeb*